Méditation

Florence LAMY, fondateur et
senior partner d'Undici, est coach,
psychothérapeute et sophrologue.
Elle intervient dans le domaine
privé et dans le domaine de
l'entreprise. Son approche est
fondée sur la psychologie positive, le coaching et la sophrologie.
Elle pratique la méditation depuis
1992. Elle a co-signé *Les 9 voies
du contentement*, paru aux
éditions Hachette en 2012 dans
la collection « Les Petits Livres
Hachette du Bonheur ».

GUIDE HACHETTE
BIEN-ÊTRE

Méditation

Par Florence Lamy

hachette
BIEN-ÊTRE

Sommaire

Avant-propos

La méditation est-elle un phénomène passager, une sorte de mode ? Pourquoi tenez-vous cet ouvrage entre vos mains ? Qu'est-ce qui vous a amené à lui ? Prenez 2 minutes pour vous poser la question avant de lire ce qui suit. Comprendre ce qui vous interpelle dans la méditation donnera du sens à votre démarche de méditant. Vous pourrez ainsi l'aborder à votre manière et dans votre singularité.

LES BIENFAITS DE LA MÉDITATION

Depuis des centaines d'années, les nombreux pratiquants de la méditation attestent ses bienfaits. Aujourd'hui, grâce aux avancées scientifiques et à diverses études, nous comprenons mieux les mécanismes en jeu. Grâce à sa neuroplasticité (souplesse neuronale), le cerveau modifie sa structure selon les stimulations qu'il reçoit. Il est donc capable de créer des « circuits » quand certaines fonctions sont sollicitées, ou d'en abandonner d'autres quand ils ne sont plus systématiquement utilisés.

Récemment, des recherches conduites par des universitaires américains sur de grands pratiquants[1] ont montré une forte activité dans les parties du cerveau contribuant à former les émotions positives, une activité moindre dans les parties en lien avec les émotions négatives, un apaisement dans les zones impliquées dans les mécanismes de la peur et de la colère, une capacité à maintenir un état de paix intérieure même lors de circonstances très perturbantes, ainsi qu'une aptitude hors du commun à l'empathie et à l'écoute des émotions d'autrui. Ces résultats révèlent que l'entraînement de l'esprit à la méditation joue un rôle déterminant sur les fonctions cérébrales et permet une régulation des émotions.

---

1. Plus de quarante mille heures de méditation !

POURQUOI L'HOMME MODERNE A-T-IL BESOIN DE LA MÉDITATION ?

Notre environnement nous sollicite constamment. Aujourd'hui, tout va vite. L'ubiquité que nous offrent les technologies de communication nous surstimule, le contexte économique et ses exigences nous enjoignent de toujours en faire plus, nous avons de plus en plus de rôles à tenir... Nous ne savons plus être dans autre chose que le « faire » ou le « paraître ». Même lorsque nous croyons nous détendre, nous « faisons » (télé, lecture, loisirs...). Nous négligeons notre intériorité, qui pourtant est notre plus sûr refuge, notre ressource inaliénable face aux trépidations incessantes de la modernité et aux exigences impérieuses de la matérialité. Jamais l'homme n'a connu un tel écartèlement, voire une telle séparation entre son corps et son esprit.

Or, nul ne peut vivre l'harmonie si les parties qui le composent le divisent et s'opposent. La méditation ouvre une voie silencieuse et joyeuse vers notre intériorité et nous permet de nous recentrer. Dans la méditation, nous abandonnons nos façons de faire, de penser et de paraître. Nous accédons à une dimension plus spirituelle de notre être et cessons d'être l'objet de notre environnement matériel. Nous renouons enfin avec notre liberté.

TOUT LE MONDE PEUT MÉDITER

Une première chose dont vous devez prendre conscience est votre capacité innée à méditer. Pour vous en convaincre, utilisez la métaphore de la marche : tous les bébés savent marcher à la naissance, ils possèdent ce que l'on appelle la marche automatique. Eh bien pour la méditation, c'est la même chose ! Le cerveau du bébé est capable de tout, il est naturellement « câblé » pour la méditation. Comme le disait l'anthropologue André Langaney (*Le Sexe et l'innovation*), « le bébé est une nullité totipotente ». Ce sont nos façons de conditionner le cerveau des petits humains qui nous font perdre cette capacité à méditer. Combien de fois disputons-nous les enfants quand ils « bayent aux corneilles », regardent par la fenêtre « l'œil vide et tranquille » ! Les enfants méditent (à leur manière, ils n'ont pas forcément conscience de leur état). Ils savent naturellement ce qu'est la non-pensée, le non-agir, la suspension du jugement, l'émerveillement, la connexion avec la nature… Notre éducation nous a conditionnés à oublier cette merveilleuse faculté. Car la société a besoin de têtes bien faites (et donc pas trop libres !).

Il faut donc « réapprendre » à méditer de manière progressive, en se réjouissant de chaque petite avancée. Peu importe jusqu'où cela mènera, le fait de méditer change déjà une vie, tout comme la marche a transformé celle du petit quadrupède humain… Il sera temps, à la fin de notre existence, de faire le point sur là où nous sommes parvenus. La méditation est une voie, non une destination.

QUEL EST LE SECRET POUR DEVENIR MÉDITANT ?

Plus qu'une question de technique ou de savoir-faire, le secret de la méditation réside dans le désir, la motivation, l'engagement et la régularité dans sa pratique. Car comme pour toute discipline, sans la pratique, il n'y a pas d'expérience. Vous aurez beau lire tous les livres sur la méditation, vous ne saurez pas pour autant méditer. Vous le saurez quand vous aurez commencé à méditer. C'est le désir et la motivation qui poussent à la pratique. Et c'est la motivation et l'engagement qui poussent à la régularité.

Si vous engagez votre parcours en vous disant « il faut que je médite », je vous arrête tout de suite. Prenez le temps de réfléchir à ce « il faut ». Quelle est cette injonction ? D'où vient-elle ? Quelle représentation avez-vous de la méditation ? Écoutez plutôt la petite voix en vous qui vous souffle que méditer peut se faire dans la joie et que point n'est besoin de devenir un ascète ou un ermite…

Donc, le secret, c'est de commencer par suivre votre désir. Mais vraiment ! Car il y a toujours mille choses à faire que nous croyons plus importantes que méditer. Or, si vous commenciez par méditer, vous n'auriez sans doute plus mille choses à faire… car lesquelles émanent réellement de votre désir, de votre motivation, de ce que vous êtes vraiment ? Méditez d'abord, même si vous n'en avez pas le temps, poussez tout pour faire une place à ce moment qui vous permettra de trier le vital et le superflu.

1re étape

Votre parcours de méditant

Je vais vous accompagner dans votre entrée en méditation. Nous allons d'abord faire le tour de votre désir, de vos motivations. Je vous aiderai à y voir plus clair dans ce cheminement, en vous posant des questions candides... qui n'ont pour autre objectif que de vous faire réfléchir à ce qui est important pour vous, et pour vous seul, dans la méditation. La méditation ne peut pas s'aborder comme une discipline normative, c'est au contraire une expérience singulière, subjective. Vous serez un méditant unique. Car vous êtes unique et singulier.

Je vous aiderai à déjouer les pièges que vous ne manquerez pas de croiser sur votre route. Je vous aiderai à créer l'environnement propice à une pratique régulière. Je vous inviterai à explorer les techniques qui vous serviront le mieux dans votre parcours. Et aussi, je vous montrerai des petites choses qui vous rendront la méditation plus facile, beaucoup plus accessible et présente que vous l'imaginez. Notre monde moderne recèle de nombreux chemins de traverse propices à la méditation... Il suffit de les découvrir pour les réutiliser chaque fois que l'envie vous en prendra.

Mais avant tout, soyez assuré de ma bienveillance à votre égard. Et développez votre propre capacité de bienveillance, de tolérance et de non-jugement vis-à-vis de vous-même et de votre pratique. Ces attitudes agissent comme le moteur de la méditation. Le parcours que je vous propose se déroule sur 3 mois. Cette durée est nécessaire ; 3 mois permettent d'ancrer de nouvelles habitudes et de nouveaux comportements. Quand un méditant a déjà réalisé une tranche de 3 mois, il saura toujours reprendre son parcours, même en cas d'abandon momentané. La méditation, une fois acquise, est comme la marche, elle ne s'oublie jamais. Alors, êtes-vous prêt ?

QUE CHERCHEZ-VOUS ?

Pourquoi souhaitez-vous méditer ? (test 1)

Que recherchez-vous dans l'expérience de la méditation et que pouvez-vous y trouver ? Prenez le temps de faire le test suivant pour être au clair avec votre désir et votre motivation. Cela vous permettra de vous recentrer sur vos attentes ou de requalifier désir et motivation si vous en ressentez le besoin durant votre parcours de méditant. Garder le contact avec ce qui vous amène à la méditation est l'un des moyens les plus efficaces de maintenir votre attention et de rester vigilant dans votre pratique.

Entourez les réponses qui vous concernent le plus :

1. Pour développer la conscience de soi.
2. Pour vous relaxer.
3. Pour trouver (ou retrouver) un équilibre dans votre corps et votre sexualité.
4. Parce que certaines stars en disent du bien et sont convaincantes.
5. Pour acquérir plus de capacités mentales.
6. Pour vous libérer de certains maux physiques.
7. Pour suivre un mouvement actuel qui vous paraît intéressant.
8. Pour avoir une meilleure connaissance de vous-même.
9. Pour accéder plus facilement à une dimension spirituelle.
10. Pour dépasser les afflictions mentales.
11. Pour développer votre bienveillance vis-à-vis de vous-même et des autres.
12. Par curiosité.
13. Pour mieux accueillir les émotions négatives.
14. Pour faire face à des difficultés momentanées.
15. Pour vous libérer de certains dysfonctionnements relationnels.
16. Pour vous libérer des conditionnements externes et découvrir une liberté intérieure.

17. Pour vous sentir plus relié aux autres, au monde et à la nature.

18. Pour savoir mieux écouter les autres et vous-même.

19. Pour développer votre yin ou votre yang, ou l'harmonie entre yin et yang.

20. Pour faire la paix avec votre corps.

21. Pour vous sentir bien avec les autres en toutes circonstances.

22. Pour être moins obnubilé par la sexualité.

RÉSULTATS DU TEST 1

Dans le tableau de la page suivante, repérez dans la colonne de gauche les réponses que vous avez sélectionnées dans votre questionnaire d'autoappréciation ci-contre. Puis cochez les cases de la colonne de droite au regard de vos réponses, afin de rapprocher celles-ci des plans concernés.

Plusieurs plans (corporel, spirituel ou encore émotionnel...) sont à considérer dans ce qui nous amène à la méditation. Il n'y a pas d'autres enseignements à tirer de ce test que celui de savoir quels sont les plans qui vous concernent en ce moment. Ne cherchez pas à évaluer les résultats en bien ou en mal. Il ne s'agit certainement pas d'évaluation, mais plus d'appréciation. Appréciez ce qui vous motive. Accueillez cette motivation comme un moteur qui vous sera utile. Prenez soin de ce besoin qui s'exprime à travers vos réponses et commencez d'ores et déjà à être en pleine conscience par rapport à votre attente. Ce qui vous motive actuellement peut ne plus vous motiver demain, car les sujets d'aujourd'hui sont reliés à l'« ici et maintenant ». Tout étant impermanent, vos désirs fluctuent.

N'hésitez pas à refaire ce test de temps à autre afin de savoir si vos motivations ont changé ou évolué. Peut-être, à terme, méditerez-vous sans attentes, sans désirs ni besoins. Juste parce que méditer sera devenu votre manière d'être au monde. Ce jour-là, l'impermanence des choses subsistera, mais le désir ou l'attente aura cédé. En attendant ce moment, utilisez et respectez ce qui vous amène à la méditation.

Votre réponse	Plan concerné par votre réponse
2. Pour vous relaxer.	☑ Plan corporel
6. Pour vous libérer de certains maux physiques.	☐ Plan corporel
20. Pour faire la paix avec votre corps.	☑ Plan corporel
3. Pour trouver (ou retrouver) un équilibre dans votre corps et votre sexualité.	☐ Plan sexuel
19. Pour développer votre yin ou votre yang, ou l'harmonie entre yin et yang.	☑ Plan sexuel
22. Pour être moins obnubilé par la sexualité.	☐ Plan sexuel
14. Pour faire face à des difficultés momentanées.	☑ Plan existentiel
4. Parce que certaines stars en disent du bien et sont convaincantes.	☐ Plan existentiel
8. Pour avoir une meilleure connaissance de vous-même.	☑ Plan existentiel
10. Pour dépasser les afflictions mentales.	☑ Plan émotionnel
13. Pour mieux accueillir les émotions négatives.	☑ Plan émotionnel
11. Pour développer votre bienveillance vis-à-vis de vous-même et des autres.	☐ Plan émotionnel
15. Pour vous libérer de certains dysfonctionnements relationnels.	☐ Plan relationnel
18. Pour savoir mieux écouter les autres et vous-même.	☐ Plan relationnel
21. Pour vous sentir bien avec les autres en toutes circonstances.	☑ Plan relationnel

Votre réponse	Plan concerné par votre réponse
5. Pour acquérir plus de capacités mentales.	☑ Plan mental et intellectuel
7. Pour suivre un mouvement actuel qui vous paraît intéressant.	☐ Plan mental et intellectuel
12. Par curiosité.	☐ Plan mental et intellectuel
1. Pour développer la conscience de soi.	☑ Plan spirituel
9. Pour accéder plus facilement à une dimension spirituelle.	☐ Plan spirituel
16. Pour vous libérer des conditionnements externes et découvrir une liberté intérieure.	☑ Plan spirituel
17. Pour vous sentir plus relié aux autres, au monde et à la nature.	☐ Plan universel

Faites le compte des _items_ que vous avez cochés par plan.

	Total par plan		Total par plan
Plan corporel	2	Plan relationnel	1
Plan sexuel	1	Plan mental et intellectuel	1
Plan existentiel	2	Plan spirituel	2
Plan émotionnel	2	Plan universel	

Comment vous représentez-vous la méditation ? (test 2)

Nous avons tous une représentation personnelle de la méditation. L'image que nous nous faisons d'un concept constitue le socle à partir duquel nous partons. Savez-vous quelle est la vôtre ?

Cochez les mots qui évoquent la méditation pour vous :

- ❑ Corps
- ☑ Conscience
- ☑ Émotions
- ❑ Esprit
- ❑ Âme
- ❑ Mental
- ❑ Corps énergétique
- ❑ Ancrage corporel
- ☑ Harmonie corps-esprit
- ❑ Spiritualité
- ❑ Lâcher-prise
- ❑ Discipline
- ❑ Autres : ....

Votre représentation personnelle va s'enrichir des points de vue que ce parcours du méditant vous apportera, votre degré de connaissance s'étoffera au fil de la lecture.

Comment cela se passe à l'intérieur :
Voici le processus d'entrée en méditation tel que le décrivent la plupart des méditants.

- Au début, les pensées s'agitent.
- Les émotions s'enchaînent.
- Les pensées disparaissent.
- Survivent les émotions.
- Puis le vide se fait.
- Le noir prend place, un espace se crée.
- Les « yeux intérieurs » s'habituent au noir.
- Les « yeux intérieurs » commencent à discerner.
- La lumière s'installe petit à petit, sans source apparente, une sorte de lumière crépusculaire.
- Nous commençons à percevoir qui nous sommes car nous sommes cette lumière, ce crépuscule... Celui qui observe et celui qui est observé ne sont rien d'autre que cette lumière sans source apparente.

Bien sûr, vous aurez votre propre vécu. Mais il y a fort à parier que vous retrouverez au moins quelques-uns de ces phénomènes dans votre pratique.

Comment vous imaginez-vous quand vous aurez intégré une pratique méditative dans votre vie ? (test 3)

☑ Libéré
☑ Immense à l'intérieur
☐ Silencieux
☑ Bien
☑ Zen
☐ Ouvert aux autres
☐ Ouvert à la vie
☐ Sensible

☑ Détendu
☑ Présent à vous-même
☐ Autres : ....

Les termes que vous avez choisis définissent votre représentation actuelle de la méditation. C'est depuis cette base que vous partirez. Peut-être s'enrichira-t-elle au cours de la lecture de ce parcours du méditant. Il peut être intéressant de refaire ce test à l'issue de celle-ci, afin de constater si votre perception a évolué, et dans quel sens.

À QUOI SAUREZ-VOUS QUE VOUS AVEZ BIEN FAIT D'ENTREPRENDRE LA MÉDITATION ?

Prenez un temps de réflexion pour formuler votre réponse. Cette réponse constitue votre critère personnel. Vous devez la formuler d'une manière factuelle et positive. Par exemple : « je saurai que j'ai bien fait d'entreprendre la méditation parce que je n'aurai plus de ruminations mentales lorsque je me retrouverai seul et je me sentirai détendu. »

....
....
....
....
....

PRENEZ CONTACT AVEC VOS RESSOURCES

Identifier les ressources internes et externes dont vous disposez pour réaliser votre parcours de méditant est capital, car c'est sur elles que vous allez vous appuyer pour maintenir votre pratique vivante.

Quelles sont vos ressources internes ? (test 4)

Faites le compte des capacités et des attitudes que vous possédez déjà. Considérez ces ressources comme des alliées dans votre parcours.

- ❏ Capacité à faire le vide
- ❏ Clarté mentale
- ❏ Présence calme
- ❏ Capacité à cesser l'agitation rapidement
- ❏ Capacité à se focaliser sur l'instant présent
- ❏ Tranquillité du corps
- ❏ Capacité à trouver rapidement l'apaisement émotionnel
- ❏ Pratique naturelle du principe du non-agir
- ❏ Prise de recul sur les événements
- ❏ Empathie et compassion innées

Quand vous vous sentirez en perte de vitesse, revenez à cette autoappréciation afin de vous reconnecter avec vos ressources naturelles. Vous pourrez aussi vous y reporter un peu plus tard afin d'évaluer si vous avez acquis de nouvelles ressources durant votre pratique.

Quelles sont vos ressources externes ? (test 5)

Prenez le temps de faire un petit tour d'horizon de votre entourage afin d'identifier les personnes qui vous soutiendront dans votre pratique et celles qui risquent de vous décourager, voire de poser des obstacles sur votre route. Ces personnes se recensent parmi votre famille, vos proches, amis, collègues...

Réfléchissez à l'emplacement où se trouve chaque personne sur la carte conceptuelle des « alliés » et des « sceptiques » ci-contre. Vous pouvez également vous situer vous-même dans l'un des cadrans. Une fois vos différentes ressources externes identifiées, reportez-vous à l'encadré ci-contre pour connaître la meilleure attitude à adopter.

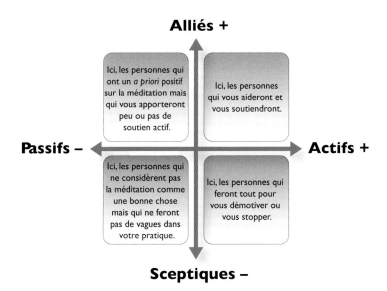

Alliés +

Ici, les personnes qui ont un *a priori* positif sur la méditation mais qui vous apporteront peu ou pas de soutien actif.

Ici, les personnes qui vous aideront et vous soutiendront.

Passifs –

Actifs +

Ici, les personnes qui ne considèrent pas la méditation comme une bonne chose mais qui ne feront pas de vagues dans votre pratique.

Ici, les personnes qui feront tout pour vous démotiver ou vous stopper.

Sceptiques –

QUELLE ATTITUDE ADOPTER UNE FOIS QUE VOS RESSOURCES EXTERNES SONT IDENTIFIÉES ?

En début de pratique, ne vous confiez sur votre démarche et votre vécu qu'aux personnes situées dans le cadran en haut à droite. Vous pourrez vous ouvrir aux autres quand vous aurez passé la phase 4, celle de renforcement *(voir page 62)*. Si des personnes très proches de vous (conjoint, enfants...) se trouvent dans le cadran en bas à droite, faites respecter votre territoire de méditant sans chercher à les convaincre. Soyez ferme sur votre besoin d'isolement et de calme, et assertif quant à votre démarche. C'est une question de respect.

QU'EST-CE QUE MÉDITER ?

Méditer, c'est se séparer de ses pensées. Nos pensées nous confortent dans nos habitudes de fonctionnement. Grâce à la méditation, nous nous détachons de nos façons d'agir habituelles. Fonctionner autrement, c'est tester de nouvelles choses. Créer du neuf. Ce qui commence par un premier petit pas dont les bénéfices se situent sur plusieurs plans.

Le méditant est celui qui contemple. L'observation de ce qui se passe en soi est une forme d'accueil. Les émotions, les pensées passent, mais il ne les juge pas. La méditation fonctionne comme une science de l'intérieur. En adoptant une attitude d'observation de notre réalité interne, nous devenons des « scientifiques » de nous-mêmes. Nous sommes alors capables d'accepter et de voir les choses telles qu'elles sont. Nous abandonnons les idées que nous avions sur nous-mêmes, les croyances limitantes ou les illusions d'un moi grandiose ou atrophié.

COMMENT MÉDITER ?

Il suffit de se souvenir (pas au sens mental, mais de ce qu'on éprouve...) de ce que c'est quand nous sommes inoccupés, dans le « rien », le rien-faire, le rien-penser, le rien-dire. Quand nous sommes juste dans l'« être ». Le « faire » emporte l'énergie à l'extérieur de nous. Le non-agir la replace à l'intérieur, au centre de ce que nous sommes vraiment. Tout ce que nous faisons nous occupe. Lire ce livre sur la méditation, par exemple, n'est pas méditer, car vous êtes occupé. La méditation prend place dans le rien-faire. La méditation sans objet est la quintessence de ce rien-faire, en quelque sorte une non-méditation, car dans cette pratique, même la méditation en tant que « faire » est laissée de côté.

Faire la paix avec son corps (test 6)

Le corps se détend dans la méditation, qui se révèle beaucoup plus profonde et riche qu'une relaxation d'une vingtaine de minutes par jour, comme certains l'imaginent parfois. La méditation constitue une étape pour ramener l'état inconscient à la conscience de soi et pour vivre le moment présent. Une étape à franchir avant d'atteindre l'illumination. Le corps participe activement à la perception de la conscience de soi.

Quand nous méditons, nous développons une autre conscience, une autre connaissance de notre corps. Chaque petit mouvement, si l'on pratique une méditation active, chaque petit ressenti, dans le cas des méditations immobiles, sera vécu différemment, comme source d'enseignement sur notre corps et notre capacité à le vivre et à l'habiter. Ainsi, nous parviendrons progressivement à une réconciliation avec lui. C'est le premier petit pas vers l'unification corps-esprit-conscience.

Comprendre et décrypter ce qui se passe sur le plan physiologique

Attention, pour remplir ce questionnaire d'autoappréciation des phénomènes vécus sur le plan physiologique lors de la méditation, vous devez avoir franchi la phase 1 *(voir page 61)*.

À combien estimez-vous, sur une échelle de 1 à 10, votre *ressenti* des propositions suivantes lorsque vous méditez ?

1. Mes vieilles douleurs se réveillent.
2. Je ressens de l'inconfort physique.
3. Je me sens obnubilé par mon corps pendant la méditation.
4. Je prends conscience d'une souffrance que j'ignorais à un endroit de mon corps.
5. J'entends très fortement les manifestations de mon corps (battements du cœur, borborygmes intestinaux, respiration, déglutition, acouphènes).
6. Je deviens léthargique et je m'endors.
7. J'oublie complètement mon corps.
8. J'ai le sentiment de mieux respirer.
9. J'ai un ressenti d'espace à l'intérieur de moi.
10. J'ai l'impression que mon esprit, mon corps et ma conscience ne font qu'un.
11. Autres : ....

Pouvez-vous ensuite estimer à combien vous *souhaiteriez* être pour chacune de ces propositions ?

RÉSULTATS DU TEST 6

Reportez dans le tableau ci-contre les notes que vous attribuez à chacune des propositions de ce questionnaire.

Proposition	Ressenti	Note souhaitée
1		
2		
3		
4		
5		
6		
7		
8		
9		
10		
11		

En considérant l'écart entre ce que vous vivez et ce que vous aimeriez vivre, vous pouvez appréhender votre marge de progression et noter les points les plus remarquables afin de constater les progrès éventuels. Plus l'écart est grand sur un point précis, plus vous devrez vous munir de patience et être bienveillant avec vous-même en ce qui concerne ce phénomène. Par exemple, si vous avez 9 à la première question et si vous souhaitez arriver à 3, vous avez une marge de progression de 6...

ce qui prendra un certain temps. Mais quand vous serez parvenu à l'état que vous souhaitez, vous pourrez savourer vos progrès.

EXERCICE

Pour visualiser votre état présent et votre état désiré, et ainsi faire le point sur votre parcours de méditant à venir, réalisez les créacollages expliqués à la page suivante.

MINICOACHING

Votre point de départ, votre destination

Pour illustrer votre parcours de méditant, nous allons procéder à des photos de type avant/après. Seulement, photographier un état interne se révèle très compliqué. Vous seul pouvez réaliser ces photos particulières.

Je vous propose de créer deux collages qui parleront l'un de votre état présent et l'autre de votre état désiré. Ainsi, vous pourrez avoir une représentation imagée de la transformation que vous souhaitez vivre.

Premier collage : état présent
Comment vous voyez-vous ici et maintenant, avant de commencer votre parcours de méditant ?

Pour réaliser votre créacollage, munissez-vous d'une paire de ciseaux, de colle et de magazines illustrés (il faut que les photos soient belles et pas trop encombrées par du texte).

Découpez les images qui vous évoquent la personne que vous êtes ici et maintenant, avant même d'avoir commencé votre parcours de méditant. Établissez un lien avec les besoins, les manques et les excès que vous constatez chez vous actuellement.

Créez une fresque en collant, superposant, mettant en valeur les différentes photos ou parties de photo qui, au final, offriront une représentation imagée et unique de votre état présent.

Donnez un titre à ce collage, avec un simple mot ou une phrase courte mais emblématique.

Second collage : état désiré
Comment vous imaginez-vous lorsque vous aurez une pratique
de méditant stabilisée ?

Découpez les images qui vous évoquent la personne que, selon vous, vous serez devenue à l'issue de votre parcours de méditant, c'est-à-dire quand vous aurez stabilisé votre pratique. Établissez un lien mental avec les qualités que vous imaginez acquérir après quelque temps de pratique.

Comme pour le premier créacollage de votre état présent, créez cette fois une fresque en collant, superposant, mettant en valeur les différentes photos ou parties de photo qui, au final, offriront une représentation imagée et unique de votre état désiré.

Donnez un titre à ce collage, avec un simple mot ou une phrase courte mais emblématique.

Cette image peut devenir en quelque sorte une destination intermédiaire dans votre cheminement. Sans doute que, quand vous serez arrivé à ce point et qu'il sera devenu votre état présent, une autre représentation de vous dans le futur émergera.

Chaque jour de pratique méditative apporte une nouvelle vision de soi. Et un jour, votre état désiré se confondra peut-être avec votre état présent... Pour ma part, il me semble sage de rester humble sur ce point ! Et d'avancer petit pas après petit pas, respiration après respiration.

Clarifier et apprivoiser
ses pensées (test 7)

Bien souvent, ce que nous croyons être de la réflexion ou de la pensée n'est en réalité qu'une forme d'agitation mentale. Cette dernière se caractérise par les modes de fonctionnement mentaux suivants, que je vous invite d'ores et déjà à repérer. Vous pouvez constater que le processus va en empirant avec le stress... Identifier ces modes de fonctionnement et repérer l'entrée dans le processus d'agitation mentale est le premier pas vers la prise de conscience.

Repérez et cochez les situations qui correspondent à votre expérience mentale actuelle :

- ❐ Dialogue intérieur fréquent, voire permanent.
- ❐ Pensées décousues.
- ❐ Liens nombreux (sauter du coq à l'âne).
- ❐ Consommation d'énergie inutile (due au fait que les capacités mentales sont trop sollicitées : analyse, mémoire, concentration, capacité à faire des liens...).
- ❐ Perte d'efficacité mentale.

- ❐ Fonctionnement à plein régime voire en surrégime du cerveau.
- ❐ Diminution de l'aptitude au discernement.
- ❐ Embarquement dans un flot de pensées incessantes.
- ❐ Perte de recul.
- ❐ Difficultés à se concentrer.
- ❐ Autres ....

Si vous avez coché plusieurs *items*, vous trouverez des bénéfices sur le plan mental dans votre pratique. Néanmoins, il se peut que vous viviez encore ce genre d'expériences lorsque vous commencerez à méditer. Je vous invite à ne pas vous blâmer. Juste à constater l'apparition du phénomène. C'est déjà un grand progrès. Quand vous décelez de l'agitation mentale, observez seulement la nature de vos pensées et revenez à votre expérience méditative. « Rebranchez-vous » sur votre respiration ou bien sur les mouvements de votre corps, ou encore concentrez-vous sur l'objet de votre choix (une bougie ou un objet neutre dans votre environnement). La méditation réside dans la compréhension de la nature de notre mental. Cette compréhension remplace la bataille que nous sommes habitués à lui livrer.

L'observation de nos pensées (et non pas leur analyse ou leur jugement) nous amène à nous mettre à distance de l'objet observé, en l'occurrence les pensées. Quand nous observons une chose, une fleur par exemple, nous ne sommes pas cette fleur. La prise de distance vis-à-vis de nos pensées permet la séparation, l'abandon des routines. Le petit vélo des ruminations mentales tourne de moins en moins dans la tête. Vient un moment où nous pouvons nous en sentir libérés. Pour observer vos pensées, laissez-les passer comme une vache regarde les trains. Ne vous accrochez à aucune d'elles. Soyez juste dans l'obser-vation, le constat de l'irruption de la pensée, et laissez-la s'en aller. Ne vous laissez ni séduire ni exalter par elle, laissez-la juste être. Sans jugement, sans intentions.

PRATIQUE

Retrouvez le détail de la méditation « observer ses pensées » page 49.

Concentrer toutes ses ressources mentales sur un seul et même sujet à la fois permet de décupler sa force mentale. En pratiquant la méditation de manière régulière, on ob-tient cette capacité de focalisation. Quand l'esprit reste concentré sur un seul point pendant un certain temps, souvent un point statique ou répétitif (respiration, mouve-ment, son, flamme de bougie...), il fait pro-gressivement l'expérience du lâcher-prise et devient capable d'abandonner à la de-mande le « moi pensant ». Nous acquérons la capacité à laisser de côté tous les objets qui occupent nos pensées habituellement. Et nous commençons à être, au-delà de ce que nous pensons.

Tordre le cou à quelques idées fausses afin de ne pas s'égarer

- La méditation n'est pas la concentra-tion, puisque la méditation, c'est juste-ment lâcher le mental. Se concentrer est une discipline du mental...
- La réflexion ne peut pas aider la médi-tation. Là où cesse la réflexion, la méditation peut commencer.
- La méditation ne se possède pas : elle est notre nature profonde, intrinsèque.

- Nous ne pouvons pas aller au-delà de la pensée si pour cela nous utilisons notre pensée. Il est nécessaire de faire ce pas de côté qu'est la méditation, ou plutôt, ce bond vers autre chose, une expérience du « différent ».

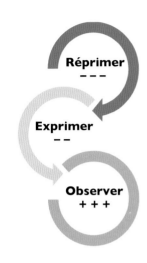

La méditation, une voie pour se connaître et s'accepter

Nous sommes pour la plupart pilotés par nos pensées et nos sentiments. Nous avons alors tendance à nous assimiler à eux. Or, ce ne sont que des pensées et des sentiments. Nous sommes autre chose.

La société nous invite de plus en plus à nous exprimer. C'est déjà un progrès et il vaut mieux exprimer que réprimer. Au-delà de la répression et de l'expression des désirs ou des émotions, nous trouvons une troisième voie, l'observation. La répression garde le « poison » à l'intérieur de nous ; l'expression, si elle calme dans un premier temps, distille le « poison » alentour quand elle devient un mode de fonctionnement. L'observation permet au « poison » d'être détoxifié, dilué, de progressivement disparaître.

Plus vous pratiquerez la méditation et accueillerez le va-et-vient de vos émotions sans jugement, juste comme des informations, plus vous serez à même de désactiver leur prise sur vous. Si vous ressentez de la colère par exemple, accueillez cette colère et considérez ce qu'elle vous apprend de vous les circonstances présentes. Cette information vous fera progresser sur le chemin de la connaissance personnelle. Pour faciliter ce cheminement, commencez par des méditations actives qui permettront la catharsis et l'expression des émotions réprimées ou incomprises. Passer par cette phase facilitera l'avènement de la phase d'observation.

Être en harmonie avec les autres et avec soi

Méditer est plus qu'une parenthèse. C'est trouver le calme de l'esprit, cultiver un meilleur équilibre vital. En méditant, nous accédons à une autre réalité, qui nous ouvre des perspectives de transformation. En développant et en cultivant nos qualités humaines, nous sommes à même d'acquérir une conscience émotionnelle véritablement altruiste. Amour, tendresse et altruisme se rencontrent dans les expériences méditatives à l'état de purs phénomènes. Ce n'est pas une affaire de religion. Ces sentiments sont vrais et fondamentaux, ils appartiennent à tous les humains, comme une vertu correcte pour tout le monde.

Méditer développe amitié et bienveillance envers soi-même et envers le vivant (humains, animaux, plantes, nature...).

Acquérir un nouveau point de vue sur la vie

C'est l'ouverture consciente qui rend la vie précieuse et belle. Toutes les petites choses prennent leur beauté et leur sens dans cette ouverture. Quand on croit avoir perdu le sens de la vie, c'est juste que l'on a perdu la manière d'entrer en contact avec ce sens. Cette ouverture est une sensibilité au monde, un autre œil pour le voir, une autre oreille pour l'écouter, une autre peau pour le ressentir.

La méditation permet de changer nos vieilles habitudes, notre vieille peau, notre vieille personnalité, et rend plus alerte, plus ouvert, plus émerveillé au monde. En méditant, nous choisissons de renaître au monde.

Pour la méditation favorisant une ouverture sensorielle, rien ne vaut une pratique en extérieur, dans un parc, un jardin ou en pleine nature.

PRATIQUE

Vous trouverez le détail de la méditation de l'amour bienveillant page 51.

PRATIQUE

Vous trouverez le détail de la marche dansée méditative page 43.

Les fondamentaux de la méditation

SIMPLE COMME RESPIRER

Sans arrêt, revenir à la respiration permet de prendre conscience que pensées et émotions ne sont que pensées et émotions. Ainsi, nous faisons l'expérience que les émotions viennent mais ne sont pas la réalité. Progressivement, nous nous habituons à ne plus répondre automatiquement. Et le juge intérieur qui conditionne nos réactions, qui nous dit « bien, pas bien, bien bien, pas bien pas bien... » se dissout dans la méditation.

Grâce à sa disparition, vous allez développer de la douceur vis-à-vis de vous-même. C'est un premier petit pas vers la bienveillance et la transformation. Vous êtes enfin prêt à rencontrer qui vous êtes vraiment. Sans jugement.

La respiration, le trépied de la méditation

La respiration est la base d'un grand nombre de méditations, c'est la gamme de do en quelque sorte (retrouvez le détail des plus classiques d'entre elles à partir de la page 40 et jusqu'à la page 52).

La bonne connaissance de notre respiration permet d'accéder à toutes sortes d'exercices, et surtout de les vivre pleinement. Changer notre respiration équivaut à changer notre mental.

Essayez. Quand une pensée vous torture, concentrez-vous sur votre respiration, soit sur votre respiration ventrale, soit sur la sensation de l'inspiration au niveau des narines. L'important n'est pas la respiration en elle-même, mais l'attention que vous lui portez.

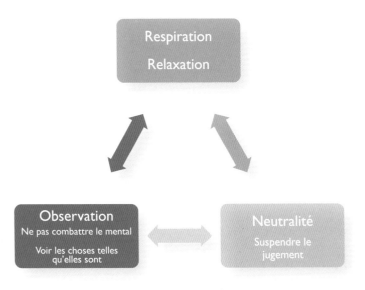

Respiration
Relaxation

Observation
Ne pas combattre le mental
Voir les choses telles
qu'elles sont

Neutralité
Suspendre le
jugement

Entraînez-vous à la technique de Vipassa-na, qui est à la base de presque toutes les méditations. Pratiquez-la une dizaine de minutes pour commencer et par la suite, plus longtemps.

PRATIQUE

Vous trouverez le détail de la médita-tion Vipassana page 40.

LA MÉDITATION SE CACHE PARTOUT !

Dès lors que vous agissez en pleine conscience, tout peut être source de médi-tation. Marcher en étant pleinement conscient du mouvement de ses pieds sur le sol, de la mobilité de son corps, peut être un bon support méditatif. Prendre sa douche peut se vivre en pleine conscience, en étant totalement présent au moment vécu, à la chaleur de l'eau, à ses ressentis de bien-être. Faire la vaisselle en vivant totalement l'expérience, sans penser à la terminer au plus vite, en appréciant l'eau qui coule sur ses mains, sa chaleur, l'odeur du produit vaisselle, le contact des matières... tout peut être source de méditation. Ce qui compte n'est pas l'expérience, mais la nature et la qualité que vous lui conférez.

POSER SON CADRE

Que type de méditation privilégier en fonction de ses besoins ?

Certaines méditations ont des effets particuliers. Découvrez quelques pistes parmi les méditations classiques dans le tableau de la page suivante. Notez vos choix dans votre cahier de suivi, ce sera plus facile de s'y tenir.

Vous pouvez également explorer certains supports audio de méditation et de relaxation guidées. Ils sont d'une grande aide si vous entamez votre parcours de méditant en solo, car ils structurent votre moment de pratique. Ils ne se substituent pas à une véritable démarche de votre part, mais ils ont l'avantage de vous guider lors de vos premières méditations. Vous trouve-rez de très bons supports au rayon relaxation ou méditation de votre disquaire habituel.

J'insiste sur le fait que posséder un support audio ne constitue pas une garantie de pratique assidue. Ce qui est important est le cadre que vous allez construire.

Où choisir son lieu de méditation ?

Le bon endroit pour méditer est celui qui vous conviendra quoi qu'il advienne. Vous devez le choisir facilement accessible et relativement disponible, de sorte que vous puissiez l'investir sans que cela vous coûte de l'énergie pour y aller ou le rendre praticable. Par exemple, si vous décidez de pratiquer dans votre salon qui est un capharnaüm familial, ce n'est sans doute pas le bon endroit pour vous.

Votre lieu de méditation peut se situer à l'extérieur ou à l'intérieur de votre habitation. C'est à vous de choisir en fonction de votre mode de vie et de votre système familial. Vous pouvez aussi alterner pendant la semaine des pratiques *outdoor* et *indoor*, et les adapter à vos besoins.

Vous souhaitez, ou ressentez le besoin :	Privilégiez :
d'évacuer le stress, les émotions négatives	la méditation dynamique ou active
d'observer et de vous poser	la méditation Vipassana (page 40)
d'amener du rire et de la gaieté dans votre vie	la méditation du rire
d'avoir un meilleur sommeil	la méditation du coucher
de stopper les pensées parasites	la méditation en musique
d'expérimenter l'harmonie corps-esprit	la marche méditative (page 42), la marche dansée méditative (page 43)
de bouger, de vous activer, d'être dans le « corps »	la méditation de la danse
de sortir du moi-pensant	la méditation *no-mind*, la méditation sans objet
d'évacuer la tristesse	la méditation des pleurs

Si vous privilégiez une pratique *outdoor*, assurez-vous que vous pourrez le faire même par mauvais temps. Vous pouvez opter pour un endroit qui vous est cher dans votre quartier (une place, un jardin public relativement calme). Il peut être judicieux de trouver un plan B en cas de mauvaise météo (par exemple une pièce chez vous).

Si vous préférez méditer *indoor*, assurez-vous également de la disponibilité et du calme relatif du lieu que vous avez élu. Abandonnez l'illusion d'un silence parfait ; le bruit de fond fait partie de la réalité et entrera très vite dans votre champ de conscience. Vous pouvez, si vous disposez de suffisamment d'espace, choisir une pièce (ou à défaut un endroit) que vous dédierez à la pratique de la méditation.

Ce qui compte, c'est que le lieu que vous choisirez puisse s'imprégner de votre énergie de méditant, qu'il crée les conditions immédiates en agissant comme un ancrage et surtout que vous le chérissiez. À cet effet, vous pouvez créer une ambiance qui induit calme et relaxation. Soignez la luminosité qui y règne et les détails qui créeront une atmosphère propice, en y plaçant par exemple une bougie, un brûle-encens, une gravure ou une statuette qui vous inspire.

Une fois que vous aurez défini le bon lieu, le bon cadre, décidez de toujours pratiquer au même endroit, dans les premiers temps de votre pratique tout du moins.

Quand et à quelle fréquence?

Soyez réaliste à propos du temps que vous allez réellement pouvoir consacrer à votre pratique. Que ce soit quotidiennement ou plusieurs fois par semaine, voire une seule fois par semaine, ce qui importe est la régularité avec laquelle vous allez honorer vos rendez-vous avec la méditation. Une fois que vous aurez identifié le bon moment pour votre pratique, tâchez de vous tenir à un exercice régulier, au rythme que vous vous serez assigné. Néanmoins, si vous ratez une séance, ne laissez pas tout tomber... pardonnez-vous et reprenez là où vous en étiez resté!

Chacun des temps de la journée possède une énergie propre. Pour commencer, recherchez le moment qui favorisera la rencontre entre votre disponibilité, votre énergie de méditant et la technique que vous choisirez. Petit à petit, vous développerez une symbiose entre vos rythmes et votre pratique. Il est possible qu'à terme, vous méditiez plusieurs fois par jour...

À titre informatif, voici les différentes énergies en fonction des moments de la journée. On en compte quatre.

1. Avant le lever du soleil : l'énergie est montante. Vous pouvez pratiquer une méditation *indoor*, centrée sur la respiration, ou encore une méditation de l'éveil ou de pleine conscience (par exemple sous la douche).

IDENTIFIEZ VOTRE MOMENT DE PRATIQUE ET DÉTERMINEZ SA FRÉQUENCE

À quel moment êtes-vous le plus disponible pour pratiquer ?

....

Combien de fois par semaine pourrez-vous méditer ? (Soyez réaliste, mais pas trop « petit joueur »...)

....

Y a-t-il un obstacle à votre pratique ? Identifiez-le. Notez-le pour ne pas l'oublier et pouvoir le dépasser.

....

....

2. **Du petit déjeuner à midi** : l'énergie est forte. C'est le bon moment pour pratiquer une méditation dynamique de type marche dansée méditative *(page 43)*. Le matin est souvent idéal pour une pratique *outdoor*. Le corps fait l'expérience de la vitalité et son plein d'énergie pour la journée.

3. **Du déjeuner au repas du soir** : l'énergie est encore bonne, mais commence à rencontrer quelques creux. Surtout après le déjeuner. Vous pouvez opter pour une méditation de pleine conscience, autour du déjeuner. L'après-midi est un bon moment pour pratiquer des méditations autour des sentiments d'amour, de bienveillance ou de compassion (méditation de l'amour bienveillant, *page 51*). En fin d'après-midi, vous pouvez pratiquer une méditation active, mais il faut réserver suffisamment de temps pour que votre énergie redescende avant le coucher.

4. **Du repas du soir au coucher** : l'énergie commence à redescendre. Privilégiez une technique méditative permettant la relaxation et favorisant l'entrée dans le sommeil.

Quoi ? Les postures de base

En quoi la posture est-elle importante ? Pour saisir l'importance de la posture en méditation, il est fondamental de comprendre la notion d'interdépendance corps-esprit. Il existe une boucle de rétroaction du corps sur l'esprit et de l'esprit sur le corps.

- Le stress induit un esprit tendu, donc un corps tendu, et inversement.
- Le calme induit un corps calme donc un esprit calme, et inversement.

la partie du corps qui exprime le malaise. Dans un premier temps, il est pertinent de considérer cette information comme une source d'enseignement, néanmoins le mal-être du corps ne doit pas passer systématiquement au premier plan.

Nous avons tous en tête l'image du méditant en position du lotus, les pouces reliés aux index... Mais sachez qu'il existe de nombreuses postures et que parmi celles-ci, certaines vous conviendront

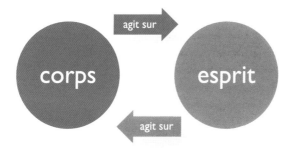

Une bonne posture pour méditer aide à induire le calme. La capacité à méditer n'est pas perturbée par les maux du corps. Celui-ci devient une voie d'entrée dans la méditation. Quand nous sommes gênés par un inconfort corporel, l'esprit se tourne vers

mieux que d'autres. Ce qui compte est d'être bien avec votre choix afin de pratiquer dans la joie et le contentement. Vous devez choisir une posture suffisamment confortable mais qui vous maintient éveillé. Trop « relax », vous auriez tendance à vous assoupir. Voici donc quelques consignes importantes à respecter afin d'être dans une posture qui servira votre méditation. Et si c'est dans une méditation dynamique que vous vous sentez le mieux, privilégiez cette pratique sans vous préoccuper de l'idéal que vous avez pu vous forger jusque-là.

Position du dos

Le dos doit être droit, ni cambré ni voûté. Imaginez la colonne vertébrale comme des petits cubes bien empilés les uns sur les autres, dans l'axe du bassin.

Relâcher tous les muscles autour de la colonne autorise la détente. La colonne a la capacité de tenir toute seule. Recherchez l'équilibre entre la détente et la droiture.

Si vous pratiquez une marche méditative, veillez à marcher en gardant le dos le plus droit possible et en ouvrant votre cage thoracique afin de favoriser la respiration.

Position du corps

Privilégiez le bon positionnement des épaules, la concentration sur soi et la sen-sation de stabilité. Trop relâché, vous serez entraîné vers le sommeil ou la mollesse qui induit une sorte de brouillard mental. Ici, l'équilibre à trouver se situe entre la raideur et l'avachissement.

La position recommandée est celle qui vous permet d'avoir le dos et le cou bien droits sans nécessiter de vous appuyer sur un dossier (sauf contre-indication médicale). Se tenir droit ouvre la voie à la dignité.

Vous pouvez conserver les yeux ouverts, le regard baissé sans fixer, ou si vous préférez, les fermer. Dans tous les cas, gardez les yeux libres dans leurs orbites en relâchant bien les petits muscles de la cavité oculaire. Laissez flotter votre regard, que ce soit sur l'environnement ou à l'intérieur de vous-même. Il ne doit pas se fixer.

Quand nous nous sentons posé, solide et droit, nous pouvons ouvrir notre cœur, sans peur et avec courage. Cette position d'ouverture du thorax se situe à l'opposé de la position recroquevillée qui induit la fermeture mentale. Le sens de la droiture est la voie royale pour l'élévation.

Si vous pratiquez une méditation assis sur une chaise, veillez à ne pas vous affaisser contre le dossier de celle-ci. Même si vous avez besoin d'un petit soutien, tâchez toutefois de tenir votre dos le plus droit possible.

Un bon truc pour avoir une position du dos correcte en étant assis sur une chaise consiste à se mettre au bord de l'assise et à chercher un bon appui sur le sol avec ses pieds.

Position des mains

Il existe de nombreuses positions pour les mains (ou « mudras ») :

- paumes retournées ;
- pouces reliés, les doigts de la main gauche soutenant ceux de la main droite (ou inversement) ;
- mains détendues, posées sur les genoux ou sur les cuisses ;
- paumes des mains tournées vers le haut, pouce collé à l'annulaire et à l'auriculaire, les autres doigts étirés (mudra de la Terre)...

MÉDITATION

Exemples de positions pour une méditation *indoor*

Veillez à toujours maintenir la colonne droite et le dos non cambré.

- lotus ;
- demi-lotus ;
- jambes croisées en tailleur ;
- assis sur un coussin ou sur un zafu ;
- assis sur un petit tabouret ;
- calé au niveau des fesses sur un petit tabouret bas ;
- assis sur une chaise ;
- en cas de besoin, position allongée (sur un tapis, sur le dos mais légèrement basculé sur le côté droit, genoux pliés et talons joints contre les fesses, tête reposée sur un coussin ferme, bras étendus le long du corps).

La meilleure position pour vous sera celle où vous ne vous sentirez pas encombré par vos mains ! Il faut cependant savoir que relier ses mains permet une circulation de l'énergie ; vous pouvez, si vous souhaitez opérer cette circulation, relier vos pouces et vos mains, et les placer contre votre abdomen. Vous pouvez également joindre vos mains derrière votre dos dans le cas d'une marche méditative ; cette position favorise l'ouverture du plexus solaire et la respiration basse.

Quoi ? Les techniques de base

Méditation Vipassana
(méditation assise)

Vipassana est le tronc commun de toutes les méditations. La pratiquer, c'est comme faire des gammes avant de jouer du piano ou s'échauffer avant le sport. Elle permet de recentrer son attention sur le souffle lors des pratiques méditatives, alors que les pensées affluent et vagabondent. Vipassana se révèle l'un des plus sûrs chemins pour revenir à la pleine conscience. Elle peut se suffire à elle-même : vous pouvez, si vous le souhaitez, ne pratiquer que

MINICOACHING

Je vous demande de ne pas méditer avant d'avoir trouvé la bonne posture. Pendant plusieurs jours, essayez diverses positions quelques minutes afin de choisir celle que vous adopterez. N'oubliez pas de tester également la position des mains.

Situez chaque posture essayée dans le cadran de la carte conceptuelle ci-dessous qui vous semble le plus approprié.

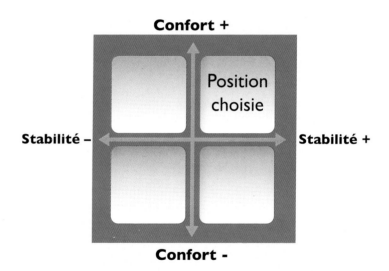

Choisissez la position qui se trouve dans le cadran en haut à droite et reportez-la dans votre cahier de suivi. S'il y en a plusieurs, adoptez celle que vous aimez le plus.

cette technique et néanmoins progresser rapidement. *Commencez par 10 minutes et augmentez votre temps de méditation par tranches de 5 minutes à mesure que vous avancez.*

Concentrez-vous sur la sensation de l'air qui rencontre le nez. Focalisez votre attention sur la respiration et son point d'entrée entre les deux narines (là où vous avez posé votre lentille de baume de méditation, voir « Les petites choses qui facilitent la méditation », *page 53*). Accueillez sans jugement les pensées quand elles se présentent, mais ramenez votre attention sur le point de respiration. Il est normal que l'esprit aille et vienne… c'est dans sa nature. Accueillez avec bienveillance tout ce qui pénètre dans le champ de votre conscience. Et tranquillement, revenez à la respiration. C'est ce mouvement de retour à l'attention qui fait progresser. Cinq fois, dix fois, cent fois…

Marche méditative (méditation de pleine conscience)

Vous pouvez choisir de marcher à votre vitesse, mais habituellement, cela se fait lentement, sans affectation, pendant une trentaine de minutes. Si vous pratiquez dans un espace fermé, avancez le long d'une ligne droite et une fois arrivé au bout, marquez un petit temps de pause, faites tranquillement demi-tour et repartez.

Chaque pas devient une expérience. Tous les mouvements de la marche peuvent être ressentis et vécus avec intensité. L'important est d'être présent à la marche, de marcher en conscience. Ici, pas d'objectif à atteindre : c'est la marche à l'état pur. La conscience imprègne le corps tout entier. Vous pouvez vous focaliser sur certains ressentis corporels : sensation du souffle, perception des mouvements, observation de votre façon de vous mouvoir pas à pas, sensations dans les muscles des jambes, sensation globale au niveau du corps… Vous pouvez aussi vous focaliser sur certains éléments de l'extérieur : sensation de l'air sur votre peau, température, environnement…

Si votre esprit vagabonde, ramenez-le sur l'expérience de la marche. L'important est de maintenir à la conscience la sensation liée à la marche et, tout comme pour la méditation Vipassana, de ramener la conscience sur la respiration.

Quand vous marchez, contentez-vous de marcher… vous ferez l'expérience d'une luminosité intérieure et d'une gratitude envers la vie.

Marche dansée méditative

Chaussez de bonnes chaussures qui vous permettront d'être en contact avec le sol et à l'aise. Habillez-vous de vêtements souples. Vous pouvez, si vous le souhaitez, vous munir d'un baladeur pour écouter une musique rythmée et méditative.

CONSEILS

Il existe des centaines de techniques de méditation. Pour commencer, il vaut mieux se concentrer sur quelques-unes afin de ne pas s'égarer et passer plus de temps dans l'apprentissage de la technique que dans la méditation elle-même. C'est quand on se détache de l'aspect technique que l'on peut commencer à méditer… Donc, mieux vaut privilégier la maîtrise que l'exploration tous azimuts.

Je vous recommande de vous approprier ces quelques techniques, dont deux sont actives et une, immobile, praticable les yeux ouverts. La méditation des yeux se réalise, quant à elle, en moins de 10 minutes et se révèle assez efficace dans l'environnement du travail.

Vous pouvez, si vous le souhaitez, enregistrer votre voix, en prenant soin de laisser de longues plages de silence, afin de guider votre méditation quand vous débuterez.

- Méditation Vipassana
- Marche méditative
- Marche dansée méditative
- Scan corporel
- Méditation « observer ses pensées »
- Méditation à la bougie
- Méditation de l'amour bienveillant
- Méditation des yeux

Choisissez un parc ou une place (accessible à pied) où les chemins sont en terre battue afin d'être bien en contact avec le sol.

Commencez à marcher en vous focalisant sur votre respiration, la sensation de l'air à l'entrée de votre nez, l'air qui emplit vos poumons et vos poumons qui se vident.

Prenez conscience de chacun de vos pas. Soyez dans vos pieds. Sentez comment ils se posent sur le sol et se déroulent à chaque foulée. Appréciez le mouvement de vos pas, l'appréhension du sol par vos pieds.

Quand vous sentirez votre corps souple et échauffé par la marche, commencez à étirer vos bras au-dessus de votre tête, dans un mouvement souple et gracieux. Ne recherchez pas la perfection du mouvement, mais son expression. Recommencez plusieurs fois. Et quand vos épaules seront bien déliées, laissez vos bras danser tout en continuant à marcher. Exprimez votre vitalité par les mouvements de vos bras. Faites vivre le haut de votre corps, il a des choses à exprimer. Sentez-vous libre comme un oiseau. Nous sommes statiques du haut du corps, ou plutôt nous imposons au haut de notre corps des mouvements répétitifs inexpressifs. Nos bras ont perdu l'habitude d'exprimer et de vivre.

Si des pensées affluent, laissez-les passer. Ne vous y accrochez pas. Ne vous blâmez pas, laissez-les juste vivre leur vie de pensée...

Dans la marche dansée, l'*ego* disparaît dans la fluidité des gestes des bras. Plus rien d'autre ne compte que vos pas et vos bras qui dansent.

Vous allez constater que petit à petit, vos bras entament une expression en harmonie avec les mouvements de la marche. Vous faites circuler l'énergie à travers tout votre corps, de la plante des pieds au bout des doigts et au sommet du crâne. Vous reliez la terre au ciel. Sentez-vous vivant. Et si vous ressentez de la joie d'être en vie, si vos bras vous entraînent dans cette danse, sachez que vous êtes en train de méditer... Vous ne pensez à rien. Vous êtes complètement dans le ressenti du corps et de son harmonie avec ce qui vous entoure.

Avec une trentaine de minutes tous les matins, en 21 jours... vous serez une autre personne !

Scan corporel

Cette méditation vous fera vivre une détente physique profonde et un grand bien-être. Le scan corporel agit comme un temps suspendu où vous vous retrouvez seul avec vous-même, dans la pure conscience de votre corps et de ses ressentis. Dépassez la quête de la détente. Accueillez plutôt tous les ressentis comme ils se présentent. Devenez conscient de chacun des instants qui s'égrènent et acceptez ce qui se passe en vous, sans juger la qualité de votre vécu. Les choses arrivent telles qu'elles sont et c'est l'expérience de ce moment qui compte. Ce point d'entrée par les sensations du corps permet de réharmoniser le corps et l'esprit. Adoptez une attitude bienveillante envers vous-même, suspendez votre jugement. Acceptez vos ressentis, vos sensations. C'est ainsi que vous serez sur la bonne voie. L'important est le degré d'attention que vous vous porterez.

Mettez-vous à l'aise, dans une position de confort. Dans un premier temps, fermez les yeux et portez votre attention sur votre souffle. Dirigez-la sur votre ventre et perce-

Méditer en mangeant

Pratiquez cette méditation quand vous avez l'occasion de déjeuner seul. Elle recèle de nombreuses vertus, notamment digestives. Nous avons tendance à avaler nos repas sans les apprécier, voire à déjeuner ou dîner face à un livre ou devant la télé...

Installez votre table comme vous la disposeriez pour un invité de marque. Que tout soit à votre portée. Prenez le temps de savourer la préparation de votre repas, de humer les odeurs qui se dégagent lors de la cuisson. Enchantez-vous des arômes qui se dégagent de votre plat. Servez-vous une assiettée qui comblera votre faim, ni plus ni moins.

Asseyez-vous confortablement.

Prenez le temps de détailler les couleurs de vos mets, d'en sentir les parfums.

Le silence et la concentration favorisent votre méditation.

Portez tranquillement une première bouchée à votre bouche. Soyez attentif aux sensations de votre palais, de votre langue, de vos dents quand ils rencontrent la nourriture. Prenez le temps d'apprécier vraiment le goût de ce que vous avez préparé. Mâchez doucement, en prenant soin de répartir toute la nourriture dans votre bouche et d'en savourer tous les aspects, sa texture, sa chaleur, son fondant, son croquant, ses saveurs. Quand vous vous serez suffisamment délecté de cette bouchée, avalez-la délicatement. Et recommencez. Portez la même attention à chaque bouchée. Jusqu'à ce que votre assiette soit vidée.

Ressentez votre satiété. Appréciez. Éprouvez de la gratitude pour la vie et pour ce qui vous nourrit.

Prenez le temps de desservir votre table en silence. Et gardez le silence méditatif en lavant votre vaisselle. Faire de vos déjeuners en solitaire un temps de méditation vous apportera plénitude et lumière.

vez les sensations dans cette région. Prêtez attention à chaque mouvement de votre ventre lors de la respiration. Laissez votre corps peser de plus en plus lourd à mesure de votre respiration.

Abandonnez-vous complètement à la pesanteur. Vos paupières se détendent. Sous vos paupières détendues, vos yeux se relâchent complètement. Laissez-les aller dans une position naturelle, comme s'ils regardaient au loin à travers vos paupières. Cette position commence à induire le calme en vous. Peut-être pouvez-vous percevoir le relâchement de tous les petits muscles qui entourent vos paupières, vous les sentez se lisser.

Détendez le front. Sentez comme il se déride. Détendez votre cuir chevelu, les tempes et les joues. Votre visage abandonne toute tension. Détendez la base du nez. Laissez l'air entrer librement, plus frais, à l'inspiration.

Desserrez les lèvres, les mâchoires. Laissez votre bouche s'entrouvrir si c'est nécessaire. Abandonnez tout effort, toute crispation. Prenez maintenant conscience des sensations, parfois très fines, que le relâchement et la relaxation ont amenées sur l'ensemble de votre visage, de votre peau et de vos muscles. Dans le silence profond de votre corps, écoutez et ressentez pleinement le calme de votre visage.

Détendez maintenant profondément les épaules, les bras, les avant-bras... les mains. Sentez vos bras et vos mains s'abandonner complètement à la sensation de pesanteur. Sentez comme vos bras deviennent agréablement lourds. Cette profonde relaxation des bras crée une décompression des muscles et des vaisseaux qui se traduit au niveau des mains et des doigts par des sensations de chaleur et de picotement... Appréciez cette sensation de vie intérieure qui habite vos bras.

Observez la détente qui s'installe dans votre cou et votre nuque. Sentez cette région de votre corps se dénouer.

Détendez maintenant toute la musculature du dos, depuis les omoplates jusqu'à la région lombaire.

Concentrez toute votre attention sur votre respiration. Celle-ci s'amplifie et descend jusqu'à votre abdomen... Le simple fait d'observer ce mouvement calme et paisible induit une grande détente mentale.

Un léger redressement du haut de votre corps et une détente dans votre colonne sont maintenant possibles.

Détendez le bassin... le périnée... les fesses... les hanches.

Laissez aller vos cuisses et vos genoux... vos mollets et vos chevilles... vos pieds et vos orteils. Mettez-vous à l'écoute de vos jambes, complètement détendues.

Tout votre corps est à présent apaisé, détendu, et vous avez pleinement conscience de votre respiration.

Vous pouvez maintenant approfondir votre détente mentale. Pour cela, concentrez naturellement votre attention sur votre respiration. À chaque expiration, vous pouvez retrouver une sensation très agréable de descente dans une partie de vous-même, parfaitement calme et sereine. Dans ce niveau de conscience, vous pouvez savourer le bien-être qui vous envahit.

Vous pouvez compléter cette détente profonde par l'évocation et la visualisation d'un objet de la nature. Laissez venir à vous une image de quelque chose de très agréable. Regardez-le sous tous les angles.

Vous pouvez si vous le souhaitez prendre un peu de recul ou de hauteur pour le regarder plus encore.

Profitez de ce moment privilégié de bien-être et de contemplation pour inscrire durablement dans votre corps et votre mémoire les sensations intenses que vous avez pu éprouver. Empli de ce vécu de pleine conscience corporelle que vous emmenez avec vous pour être plus fort, un peu différent peut-être, vous allez maintenant reprendre petit à petit contact avec le quotidien.

Cette reprise de contact avec l'extérieur se fait tranquillement, en écoutant dans un premier temps les bruits alentour. Vous mobilisez un à un vos orteils, vos doigts. Doucement, vous pouvez si vous le souhaitez remuer les pieds et les mains, puis les jambes et les bras.

Vous n'êtes pas obligé d'ouvrir vos yeux tout de suite, revenez tranquillement, à votre rythme.

Étirez vos membres, faites bouger votre dos. Ayez conscience de votre corps en reprise. Remuez tout doucement votre tête de gauche à droite, puis de droite à gauche.

Quand vous sentez votre corps remobilisé, vous pouvez entrouvrir les yeux et laisser la lumière pénétrer entre vos paupières. Quand vous vous sentez prêt, ouvrez les yeux et reprenez une position plus active.

Méditation « observer ses pensées »

Asseyez-vous tranquillement. Relaxez-vous. Fermez les yeux et laissez le flot de vos pensées arriver, comme des bribes de film sur un écran. Regardez cet écran. Observez vos pensées comme si elles étaient des objets neutres. Quand une pensée vient, observez-la profondément, en suspendant votre jugement. Si vous vous laissez entraîner à penser autour de cette pensée, alors vous ne l'observez plus... et vous avez succombé à son attraction !

Revenez à l'observation.

Les bruits autour de vous ne vous affectent plus. Ils sont l'extension de votre conscience.

Une pensée arrive. Laissez-la flotter puis passer, comme passent les nuages autour d'un sommet montagneux. Une autre pensée arrive. Continuez ainsi. Laissez les pensées défiler. Elles s'épuiseront et seul restera le sommet de la montagne. Votre nature profonde est aussi grande et digne que cette montagne.

Ainsi, vous avez fait l'expérience de devenir observateur de vos pensées. Constatez à quel point ce vécu est différent de celui de penser ses pensées.

Ce qui peut paraître étrange dans cette expérience, c'est que l'observateur, l'objet observé et le sujet de l'observation sont confondus. L'expérience est ici subjective (contrairement à la science, où les trois objets sont dissociés et où l'expérience est dite objective).

Méditation à la bougie

Cette méditation se révèle intéressante pour ceux qui souhaitent pratiquer les yeux ouverts. De surcroît, elle entraîne à la concentration et à la focalisation de l'esprit.

Préparez votre bougie sur son porte-bougie, que vous choisirez large et sécurisé (attention aux coulures de cire).

Déposez la bougie suffisamment loin de vous pour ne pas vous brûler, mais assez près pour pouvoir l'allumer sans vous lever. Ayez du feu à portée de main.

Installez-vous confortablement et après deux ou trois respirations libres, allumez tranquillement votre bougie. Observez la flamme, sa danse, son mouvement. Puis les modifications de sa couleur à mesure qu'elle se consume. Prêtez attention au rythme et au vacillement de la flamme, ainsi qu'au moment où rien ne semble se passer. Soyez attentif à tous les détails concernant cette bougie et sa flamme qui danse. Si votre esprit a tendance à vagabonder, ramenez-le tranquillement à l'observation de la bougie, de sa flamme. Votre capacité à ramener votre attention sans vous décourager quand vos pensées vous entraînent vous fera progresser. Ne vous blâmez pas, ne renoncez pas, revenez à la bougie.

Au bout d'un certain temps d'observation, imaginez que vous-même devenez la flamme. Vivez comme elle pendant un instant, illuminez la pièce, dansez, vacillez. Imaginez que la partie incandescente de la bougie est votre esprit et que sa périphérie plus lumineuse, plus vivace, est votre corps. Faites l'expérience de ce vécu. Soyez la flamme le plus longtemps que vous pourrez.

Méditation de l'amour bienveillant

Installez-vous confortablement dans votre position de méditation et consacrez environ 5 minutes à chaque phase.

Dans une première phase, tournez votre esprit vers vous-même, cherchez à développer un sentiment de bienveillance envers vous-même. Faites l'expérience d'une réelle aspiration au bonheur.

Dans une deuxième phase, tournez votre esprit vers un de vos amis. Imaginez-le à vos côtés, physiquement. Ressentez sa présence. Et imaginez ce que lui apporterait encore plus de bonheur et de satisfaction dans sa vie. Souhaitez-lui d'obtenir cela.

Dans une troisième phase, choisissez une personne neutre de votre entourage. Commencez à développer des sentiments de bienveillance envers cette personne, peut-être tout simplement en éprouvant de l'intérêt positif pour elle. Devenez pleinement conscient de ce qu'elle est et faites battre votre cœur au même rythme que le sien.

Dans une quatrième phase, choisissez une personne qui vous pose problème.

Cherchez à évoquer ce qui est positif en elle, malgré vos difficultés relationnelles. Imaginez ce que ses proches lui trouvent comme qualités et commencez à reconnaître vos erreurs vis-à-vis de cette personne. Ouvrez un espace nouveau pour elle. Commencez à la regarder différemment. Changez votre regard en conscience.

Dans une cinquième phase, évoquez à nouveau les quatre personnes des quatre premières phases. Développez la même bienveillance envers chacune d'elles, sans oublier que vous-même êtes l'une d'elles. Ensuite, étendez ce désir de bonheur et cette conscience à l'extérieur pour y inclure toutes les personnes autour de vous, dans votre quartier, votre ville, votre pays, puis le monde entier. Ainsi que toutes les plantes et tous les animaux.

Sortez tranquillement de votre méditation en reprenant contact avec votre corps, en portant votre attention sur les bruits à l'intérieur puis à l'extérieur de la pièce. Ouvrez les yeux sur le monde autour de vous. Vous avez fait l'expérience de la bienveillance.

Méditation des yeux

Cette méditation courte – quelques minutes suffisent – peut se pratiquer sur votre lieu de travail. Elle est particulièrement indiquée lors de longues séances sur l'ordinateur...

Frottez vos mains l'une contre l'autre, chauffez-les. Quand elles sont bien chaudes, formez deux coques hermétiques en imaginant tenir une orange au creux de chacune d'elles. Placez ces deux coques devant vos yeux en posant les doigts sur votre front.

Maintenant, appréciez le noir, le sentiment de grand repos que procure le noir intégral qu'ont créé vos deux mains devant vos yeux. Savourez la détente, le calme profond induit par cette obscurité. Appréciez. Sans jugement...

Sachez qu'à tout moment de la journée, vous pouvez tirer les rideaux de votre chambre intérieure et vous relaxer. Quelques minutes suffisent...

Maintenant, sans ouvrir les yeux, ôtez les mains de devant vos yeux et constatez... Constatez la lumière qui revient à travers vos paupières.

Quand vous serez prêt, vous pourrez ouvrir les yeux et les laisser reprendre leur activité.

Comment ? Le matériel

Si vous pratiquez une méditation *outdoor*, choisissez des vêtements adaptés à la météo mais confortables. Les chaussures doivent se faire oublier et favoriser une bonne prise au sol. Pensez à votre baladeur si vous souhaitez écouter des supports audio qui faciliteront votre démarche.

Si vous pratiquez une méditation *indoor*, voici les basiques qui vous permettront de vous sentir bien :

- un coussin ou un petit tabouret de méditation ;
- une chaise (si vous choisissez de méditer en position assise) ;
- une natte ou un tapis ;
- un zafu (vous pouvez vous en procurer dans les magasins spécialisés ou sur Internet).

Les petites choses qui facilitent la méditation

Ces petites choses vous permettront de créer une ambiance agréable et surtout propice à la méditation, mais également de favoriser votre perception des phénomènes vécus lors de votre pratique : respiration, focalisation, écoute méditative, détente et bien-être.

- Un baume de méditation : il peut s'agir de baume du tigre ou d'une pommade camphrée, voire d'un peu d'huile essentielle de thym. Placez une lentille de baume sur le point d'entrée de la respiration entre les deux narines.
- Une bougie et un porte-bougie (de large diamètre, très stable), pour les méditations avec focalisation sur une flamme notamment.
- Un lecteur audio ou un ordinateur si vous choisissez de commencer par des méditations audioguidées.
- De l'encens, un brûle-encens : choisissez un parfum qui favorise une ambiance méditative. Brûler un bâton d'encens permet également de « calibrer » sa pratique (la séance dure alors le temps que le bâton se consume).
- Un réveil avec une alarme douce de type gong pour vous avertir de la fin de votre temps de méditation et libérer votre esprit (vous n'aurez ainsi pas à surveiller l'heure).

Comment savoir si une technique ne nous convient pas ?

Il arrive qu'une technique ne nous convienne pas. Inutile de s'entêter. Ce n'est pas la bonne voie d'accès pour le moment. Rappelez-vous que tout change. Ce qui est mauvais aujourd'hui sera peut-être bon demain, et inversement. Ce qui compte est d'identifier ce qui nous convient ou pas, afin de ne pas faire du sur-place ou pis, renoncer à la méditation, ce qui serait vraiment dommage compte tenu de vos motivations. Pour le savoir, posez-vous les questions suivantes.

Quand je pratique cette technique, est-ce que je ressens...

☐ des pulsions agressives ?
☐ des obsessions ?
☐ une anxiété diffuse ?
☐ des émotions dérangeantes ?
☐ un vécu corporel angoissant ?
☐ de l'insignifiance et de la platitude ?
☐ un endormissement systématique ?

Si vous avez coché au moins une de ces cases, cherchez une technique qui vous conviendra mieux. Souvent, il est plus facile de commencer par une pratique de méditation active. Avez-vous pensé à essayer ? Vous pourrez revenir plus tard à la technique écartée si vous sentez que certaines difficultés sont surmontées.

Comment savoir si l'on est sur la bonne voie ?

Comme la méditation est une pratique subjective, il n'est pas facile de savoir si l'on est sur la bonne voie. Voici un petit questionnaire qui vous permettra de faire un point sur la ou les techniques que vous expérimentez. Gardez ces questions en tête, elles sont fondamentales ; la méditation ne doit jamais être une source de mal-être. Au contraire, elle a pour objet de nous libérer de nos souffrances.

Est-ce que cette manière de pratiquer...

☐ m'ouvre à moi-même ?
☐ m'ouvre aux autres ?
☐ m'ouvre à la vie ?
☐ m'ouvre au moment présent ?
☐ me met en énergie ?
☐ me donne de la joie et du bonheur ?
☐ me place hors du temps ? (Ne pas sentir le temps qui passe.)

- ☐ me rend plus vivant ?
- ☐ me rend plus alerte ?
- ☐ me donne le ressenti interne d'immensité ?
- ☐ me fait ressentir un accord corps-esprit-conscience ?
- ☐ me permet d'avoir du recul par rapport à ma vie ?

Si vous ne pouvez cocher aucune de ces cases, la pratique n'est pas indiquée pour vous actuellement.

Si vous cochez plusieurs cases, cette pratique semble vous convenir actuellement. Poursuivez-la pour en découvrir les nombreux bénéfices (au moins 21 jours, mais le mieux est d'aller jusqu'à 3 mois). Inutile de multiplier les techniques. Ce qui importe est de persévérer afin de progresser dans cette pratique.

Si vous avez coché toutes les cases, continuez cette pratique, mais restez ouvert à la découverte d'une nouvelle. Parfois, une pratique qui fonctionne très bien peut ne plus vous permettre d'évoluer. D'où l'intérêt d'en expérimenter d'autres.

S'ENGAGER DANS L'ACTION ET NE PAS RENONCER

Comment gérer l'irrégularité ?

Surtout, ne vous blâmez pas. Posez-vous la question « qu'est-ce qui a empêché ma pratique aujourd'hui ? » et tentez de répondre en toute franchise. Se leurrer maintient dans l'illusion et ne fait pas progresser. Il nous arrive à tous d'avoir des hauts et des bas.

Une fois que vous avez répondu à cette question, prenez les dispositions pour retrouver une certaine régularité. Cela peut passer par un réaménagement ou un allégement de votre planning de séances. Parfois, dans notre désir de bien faire tout de suite, nous surestimons nos capacités.

Enfin, si votre emploi du temps habituel a été perturbé momentanément (déplacement, maladie, visite inopinée...), reprenez tout simplement votre parcours de méditant là où vous l'aviez laissé.

Faire face aux obstacles personnels et extérieurs

Quand vous vous sentez découragé ou peu motivé pour votre séance, plutôt que de ne pas la faire ou la faire à contrecœur, je vous recommande de prendre ce temps pour faire un point sous forme d'autocoaching.

- Qu'est-ce qui fait qu'aujourd'hui, je ne me sens pas motivé ou en forme pour méditer ?
- Y a-t-il une cause externe qui m'empêche de pratiquer sereinement ? Si oui, laquelle ?
- Y a-t-il une cause interne qui m'empêche de pratiquer sereinement ? Si oui, laquelle ?
- Est-ce inhabituel ? Qu'y a-t-il de différent aujourd'hui pour que je ressente cette démotivation ?
- En quoi le fait de méditer pourrait-il empirer ce problème momentané ?
- En quoi le fait de méditer pourrait-il améliorer ce problème momentané ?

Une fois que vous avez terminé votre autocoaching, ne tentez pas de méditer avant la prochaine séance prévue sur votre planning.

Se recadrer en cas d'abandon momentané

Si vous sautez plusieurs séances, revenez à vos désirs et à vos motivations (page 12).

Peut-être n'avez-vous pas été assez loin dans leur expression ? Quand nous sommes connectés à nos besoins et à nos désirs vitaux, rien ne doit ni ne peut nous dérouter. Reprenez un peu de temps pour les explorer à nouveau.

Quoi qu'il en soit, considérez les choses avec bienveillance et ne lâchez pas tout sous prétexte d'avoir manqué quelques rendez-vous. Sortez de la logique du « tout ou rien » et adoptez un comportement constructif. Chaque jour s'édifie. Chaque séance de méditation est un monde en soi. Même si la régularité de la pratique importe, elle ne doit pas être prétexte à l'arrêt de la méditation.

Se recadrer sur ses objectifs et en faire un leitmotiv

Reprenez cet ouvrage à la page 24 (« Votre point de départ, votre destination »). Faites le point sur votre deuxième créacollage. Correspond-il vraiment à ce que vous cherchez ? Si vous hésitez pour répondre à cette question, prenez une feuille blanche et refaites un créacollage. Ce sera votre nouvel état désiré.

Perle de sagesse

« En vérité, si un homme abandonnait un royaume et le monde entier et qu'il se garde lui-même, il n'aurait rien abandonné. » (Maître Eckhart, *Les Traités*.)

Constater et savourer ses progrès

Ce qui nous donne le courage de continuer, c'est regarder le chemin parcouru. Car si la route est encore longue, prendre conscience d'à quel point nous avons déjà avancé est une grande source de motivation pour poursuivre le voyage entrepris.

À quoi saurez-vous que vous êtes en train de progresser ?

Prenez un moment pour réfléchir à votre réponse. Est-ce le temps qui file de plus en plus vite lors de la séance ? Est-ce la régularité qui n'est plus un problème ? Est-ce le fait de désirer ce moment et de le faire passer en priorité ? Est-ce le vécu même des séances ? Est-ce une évolution positive de votre sensation de bien-être général ? Est-ce une meilleure capacité à accueillir vos états d'âme ?

Reprenez votre critère personnel défini au début de votre parcours *(voir page 18)* et constatez si vous avez progressé.

Sur cette échelle de 1 à 5, à combien vous situez-vous par rapport au résultat espéré ? 1 est votre point de départ, 5 votre critère personnel complètement satisfait. Marquez le chevron correspondant à votre évaluation.

Constatez maintenant votre progression et appréciez les changements que vous avez opérés. Si vous constatez des bénéfices inattendus, formalisez-les ici :

....
....
....
....
....
....
....
....
....
....
....

Trois mois pour faire de la méditation une manière d'être au monde

Tout comme il n'est pas recommandé d'entreprendre un voyage en terre inconnue sans se sentir prêt, je vous suggère de ne commencer votre parcours de méditant que lorsque vous aurez réfléchi à vos désirs, vos motivations, pris contact avec vos ressources, élaboré le cadre propice pour votre méditation et identifié les obstacles personnels qui risquent de freiner voire de stopper votre pratique.

PRÉPARER LE TERRAIN

Donnez-vous du temps pour tester votre cadre.

Si vous choisissez une méditation active *outdoor*, allez en reconnaissance à l'heure où vous pensez méditer dans le lieu choisi.

Assurez-vous qu'il correspond bien à ce que vous recherchez : proximité de votre domicile, contact avec la terre, avec la végétation, calme et tranquillité relatifs. Si vous repérez d'autres méditants ou des pratiquants de tai-chi, l'endroit est sûrement adapté. Vous devez également opter pour une tenue confortable avec une ou deux grandes poches accessibles. Je vous suggère d'utiliser systématiquement la même tenue afin d'éviter les hésitations vestimentaires au moment de la séance. Vous pourrez ainsi laisser votre baume de méditation et les accessoires indispensables dans ses poches.

Une fois ces paramètres validés, vous pourrez vous engager dans l'expérience.

Si vous optez pour une méditation *indoor*, validez également les éléments de calme et de tranquillité (le lieu ne doit pas être passant, évitez les couloirs !). Prenez un petit moment de repos à l'endroit choisi afin de vérifier si l'atmosphère vous siéra. Assurez-vous que la lumière est suffisamment douce et tamisez-la en cas de besoin.

Rassemblez dans une corbeille toutes les petites choses qui vous faciliteront la méditation, comme le baume, l'encens... et gardez-la à portée de main. Vous devez créer un environnement facilitant où les choses se présentent à vous sans que vous ayez à les chercher avant ou pendant votre méditation (sinon, elles deviendront des obstacles).

À quoi saurez-vous que vous êtes prêt ?

Cette question n'est pas aussi anodine qu'elle en a l'air. Souvent les intentions les meilleures finissent en fumée, faute de savoir quand nous sommes prêts à passer à l'action.

À quoi saurez-vous que vous êtes prêt à commencer votre parcours de méditant ?

Prenez un temps pour apporter une réponse à cette question.

Une fois que vous avez identifié le déclic, sachez le reconnaître et lancez-vous !

Le bon moment pour commencer

Ne commencez qu'une fois que vous aurez ce déclic, et surtout quand vous ressentirez suffisamment de détermination et que vous aurez créé le cadre propice.

Je vous suggère de ne pas commencer si vous n'avez pas créé votre cadre et ressenti le « top départ ». Car commencer sans être prêt, c'est comme vivre un faux départ à la course. L'énergie et la motivation sont amoindries à la deuxième tentative. La préparation est importante.

PROGRAMME SEMAINE PAR SEMAINE

Votre partenaire indispensable : le cahier de suivi

Le cahier de suivi, votre carnet de route, est conçu comme un partenaire qui vous accompagnera durant les premiers temps de votre parcours de méditant. Reportez-y les informations sur votre état de départ, vos ressources et votre destination *(voir p. 65)*. Consignez votre expérience après chaque pratique, même brièvement ; cela vous permettra d'assurer un suivi de vos progrès. Soyez conscient qu'en méditation, le plus difficile n'est pas de comprendre les techniques, qui sont très simples, mais de mettre en application leurs principes, de manière régulière.

Phase préliminaire : se préparer (semaine 1)

Cette phase englobe toute la préparation personnelle et l'élaboration de votre cadre de méditation (point sur vos objectifs, votre état, votre envie, lecture et choix des différentes techniques de méditation, créacollages, repérage du lieu de méditation, choix de la tenue). Une fois qu'elle est terminée, vous pouvez passer à la phase 1.

Phase 1 : découvrir (semaines 2 et 3)

Vous êtes à l'aise avec le cadre que vous vous êtes créé. Vous avez aussi testé et choisi la bonne posture ainsi que la technique que vous allez utiliser dans un pre-

mier temps (méditation assise de base ou méditation active de type marche méditative).

Durant cette première phase, vous allez découvrir et apprendre les techniques de base de la méditation. Suivez tranquillement les consignes, même si elles vous paraissent très simples. La difficulté, en méditation, ne réside pas dans la compréhension des techniques, mais dans la régularité et la persévérance dans la pratique. La répétition et le rituel étayent la pratique.

Phase 2 : se familiariser (semaines 4, 5 et 6)

Vous avez pris quelques habitudes durant les deux semaines précédentes. Cette phase va permettre de commencer à ancrer l'habitude de la méditation dans votre vie. Vous allez continuer à vous approprier la méditation de base Vipassana ou la marche méditative. Vous commencez à vivre concrètement ce qu'est la méditation.

Vous n'êtes pas sans avoir repéré les obstacles et les difficultés dans votre parcours. Je vous conseille de prendre le temps de considérer cet aspect des choses, il est aussi important que la pratique elle-même. Identifier les obstacles vous permettra de persévérer. Revenez si besoin sur la phase de préparation *(voir p. 61)* et ajustez les éléments en fonction de votre petit retour d'expérience.

Phase 3 : stabiliser sa pratique (semaines 7, 8 et 9)

Vous devez commencer à ressentir les bénéfices de votre pratique. Il est important durant cette phase de bien entrer en contact avec l'apport positif de la méditation. Considérer les bienfaits parce que vous les vivez est l'un des plus sûrs moteurs de votre motivation. Prenez le temps de faire le point sur vos progrès et votre vécu de méditant à ce stade.

Je vous conseille d'accorder un soin particulier à la tenue de votre cahier de suivi *(voir p. 65)*, car il vous permettra d'asseoir la régularité dans votre pratique. Si de nouvelles difficultés sont apparues, je vous suggère de les ajouter à votre bilan de départ.

Vous pouvez également faire un pont entre vos difficultés et vos ressources personnelles. Si vous n'avez pas de ressources personnelles à opposer à vos problèmes, posez-vous les questions suivantes : de quoi ai-je besoin pour dépasser mes difficultés ? Est-ce de mon ressort ? Faites l'inventaire de toutes les petites choses (même les plus insignifiantes) qui peuvent vous aider. Voyez comment vous pouvez les introduire dans votre vie.

Phase 4 : renforcer sa pratique (semaines 10, 11 et 12)

Si vous avez planifié vos séances sur un rythme de deux ou trois par semaine, renforcez votre pratique en lui allouant plus de temps. Soit vous commencez à augmenter très sensiblement la durée de vos séances, soit vous intensifiez la fréquence en ajoutant par exemple une session par semaine.

Normalement, à ce stade de votre parcours, vous avez un vécu de méditant qui vous motive naturellement ; c'est bien sûr en vous basant sur votre expérience que vous pouvez avoir une idée de la pertinence de la méditation. Par ailleurs, vos habitudes sont suffisamment assises pour qu'elles étayent votre pratique contre vents et marées. Vous savez que si vous n'avez pas envie de méditer, il suffit de vous y mettre pour que les choses se dénouent... Votre pratique est solide !

PRATIQUE

Retrouvez la feuille de route de la phase préliminaire (semaine 1) aux pages 66-67.

Retrouvez les feuilles de route de la phase 1 aux pages suivantes :
- semaine 2, pages 68-69
- semaine 3, pages 70-71

Retrouvez les feuilles de route de la phase 2 aux pages suivantes :
- semaine 4, pages 72-73
- semaine 5, pages 74-75
- semaine 6, pages 76-77

Retrouvez les feuilles de route de la phase 3 aux pages suivantes :
- semaine 7, pages 78-79
- semaine 8, pages 80-81
- semaine 9, pages 82-83

Retrouvez les feuilles de route de la phase 4 aux pages suivantes :
- semaine 10, pages 84-85
- semaine 11, pages 86-87
- semaine 12, pages 88-89

Cahier de suivi

Ce cahier a pour vocation de vous accompagner dans les 3 premiers mois de votre cheminement. Pour assurer cette constance dans votre pratique, tenez à jour ce carnet de route. Il vous permettra de constater votre avancée et vous confortera dans la voie à suivre. Il renforcera votre motivation car il marquera les étapes de ce voyage très subjectif!

LA GRILLE DE SUIVI HEBDOMADAIRE

Cette grille, où vous pourrez tenir un journal quotidien de vos séances, est volontairement sommaire pour ne pas vous entraîner dans une démarche fastidieuse. Son objectif est de vous offrir un indicateur de votre rythme et de votre régularité. Les équaliseurs des vécus de séance se remplissent très simplement, il vous suffit de noircir les pastilles pour monter le niveau là où vous estimez qu'il correspond à votre vécu.

L'impression générale de séance s'exprime habituellement en un ou deux mots que vous tâcherez de choisir suffisamment expressifs et précis pour vous guider.

LES MÉDITATIONS

Les méditations proposées semaine après semaine tiennent compte de votre niveau d'expérience à chaque phase. Par conséquent, vous n'avez pas à vous interroger sur le bon moment pour intégrer une nouvelle technique : il vous suffira de choisir parmi ces suggestions. Gardez cependant Vipassana ou la marche méditative comme base de pratique durant ces premiers mois.

LES ASTUCES DE LA SEMAINE

Ne lâchez pas votre parcours de méditant à ce stade et observez les recommandations des astuces de la semaine. Elles sont là pour vous guider dans votre progression.

Mon objectif de la semaine :

....
....
....
....
....

Les tâches à accomplir :

Cochez chaque case quand la tâche est réalisée.

- ☐ Effectuez les tests 1 à 7 (page 12 à 29).
- ☐ Élaborez votre cadre.
- ☐ Prenez le temps de faire tranquillement vos créacollages.
- ☐ Testez les différents lieux possibles pour votre pratique.
- ☐ Réfléchissez à votre tenue pour méditer et préparez-la.
- ☐ Prenez du temps pour lire les techniques et commencer à vous en imprégner.

Les techniques à découvrir avant de pratiquer :

Cochez les cases des techniques que vous avez lues et entourez les étoiles de celles qui vous ont particulièrement plu.

☐ Méditation Vipassana	☆☆☆
☐ Marche méditative	☆☆☆
☐ Marche dansée méditative	☆☆☆
☐ Scan corporel	☆☆☆
☐ Méditation « observer ses pensées »	☆☆☆
☐ Méditation à la bougie	☆☆☆
☐ Méditation de l'amour bienveillant	☆☆☆
☐ Méditation des yeux	☆☆☆

L'astuce de la semaine :

Une fois que vous avez repéré le lieu où vous pratiquerez, testez-le à différentes heures de la journée afin de vous assurer qu'il vous conviendra à n'importe quel moment (votre pratique peut évoluer... et c'est important de conserver son lieu d'ancrage).

MÉDITATION

....

Perle de sagesse

« Toutes les grandes personnes ont d'abord été des enfants, mais peu d'entre elles s'en souviennent. » (Antoine de Saint-Exupéry.)

....

Mes progrès, mes sources d'étonnement, de joie :

....
....
....
....
....

Une petite chose à laquelle vous n'aviez pas pensé avant de commencer et qui vous vient à l'esprit :

....
....
....
....
....

Mon objectif de la semaine :

....
....
....
....
....

Les techniques à utiliser :

☐ Méditation Vipassana
☐ Marche méditative

L'astuce de la semaine :

Chaque fois que vous le pourrez, faites un « mini-Vipassana ». Dans des circonstances autres que celles de votre pratique, focalisez-vous sur votre respiration pendant quelques secondes. Dans le métro ou le bus, par exemple...

MÉDITATION

Perle de sagesse

« En te levant le matin, rappelle-toi combien précieux est le privilège de vivre, de respirer, d'être heureux. » (Marc Aurèle.)

Grille de suivi hebdomadaire :

Jours de pratique	Durée de la séance	Mon vécu au début de la méditation	Impression générale de la séance	Mon vécu à l'issue de la méditation
☐ Lundi	min	⊘ ⊘ ⊘ ⊘ ⊘		⊘ ⊘ ⊘ ⊘ ⊘
☐ Mardi	min	⊘ ⊘ ⊘ ⊘ ⊘		⊘ ⊘ ⊘ ⊘ ⊘
☐ Mercredi	min	⊘ ⊘ ⊘ ⊘ ⊘		⊘ ⊘ ⊘ ⊘ ⊘
☐ Jeudi	min	⊘ ⊘ ⊘ ⊘ ⊘		⊘ ⊘ ⊘ ⊘ ⊘
☐ Vendredi	min	⊘ ⊘ ⊘ ⊘ ⊘		⊘ ⊘ ⊘ ⊘ ⊘
☐ Samedi	min	⊘ ⊘ ⊘ ⊘ ⊘		⊘ ⊘ ⊘ ⊘ ⊘
☐ Dimanche	min	⊘ ⊘ ⊘ ⊘ ⊘		⊘ ⊘ ⊘ ⊘ ⊘

Mes progrès, mes sources d'étonnement, de joie :

....
....
....
....
....

Mon objectif de la semaine :

....

....

....

....

....

Les techniques à utiliser :

☐ Méditation Vipassana
☐ Marche méditative

L'astuce de la semaine :

Testez la pleine conscience de courts instants lors de circonstances anodines, une petite marche pour aller chercher votre pain par exemple. Vivez les choses comme si c'était la première fois, ouvrez les yeux, étonnez-vous !

MÉDITATION

Perle de sagesse

« Pour différentes raisons, la plupart des gens sont tellement pris par leur quotidien qu'ils n'ont pas le temps de s'étonner de la vie. » (Jostein Gaarder, *Le Monde de Sophie*.)

Grille de suivi hebdomadaire :

Jours de pratique	Durée de la séance	Mon vécu au début de la méditation	Impression générale de la séance	Mon vécu à l'issue de la méditation
❏ Lundi	min	⦿ ⦿ ⦿ ⦿ ⦿		⦿ ⦿ ⦿ ⦿ ⦿
❏ Mardi	min	⦿ ⦿ ⦿ ⦿ ⦿		⦿ ⦿ ⦿ ⦿ ⦿
❏ Mercredi	min	⦿ ⦿ ⦿ ⦿ ⦿		⦿ ⦿ ⦿ ⦿ ⦿
❏ Jeudi	min	⦿ ⦿ ⦿ ⦿ ⦿		⦿ ⦿ ⦿ ⦿ ⦿
❏ Vendredi	min	⦿ ⦿ ⦿ ⦿ ⦿		⦿ ⦿ ⦿ ⦿ ⦿
❏ Samedi	min	⦿ ⦿ ⦿ ⦿ ⦿		⦿ ⦿ ⦿ ⦿ ⦿
❏ Dimanche	min	⦿ ⦿ ⦿ ⦿ ⦿		⦿ ⦿ ⦿ ⦿ ⦿

Mes progrès, mes sources d'étonnement, de joie :

....

....

....

....

....

Mon objectif de la semaine :

....

....

....

....

....

Les techniques à utiliser :

- ☐ Méditation Vipassana
- ☐ Méditation « observer ses pensées »
- ☐ Marche méditative
- ☐ Marche dansée méditative

L'astuce de la semaine :

Vous pouvez commencer à relier deux techniques dans un même temps de méditation. Cochez deux techniques et commencez par celle que vous avez déjà expérimentée. Dans une deuxième phase, explorez la nouvelle. Puis revenez à la première pour terminer.

MÉDITATION

Perle de sagesse

« Lorsque je danse, je ne cherche à surpasser personne d'autre que moi. » (Mikhaïl Nikolaïevitch Barychnikov, *Soleil de nuit*.)

Grille de suivi hebdomadaire :

Jours de pratique	Durée de la séance	Mon vécu au début de la méditation	Impression générale de la séance	Mon vécu à l'issue de la méditation
☐ Lundi	min	⦾ ⦾ ⦾ ⦾ ⦾		⦾ ⦾ ⦾ ⦾ ⦾
☐ Mardi	min	⦾ ⦾ ⦾ ⦾ ⦾		⦾ ⦾ ⦾ ⦾ ⦾
☐ Mercredi	min	⦾ ⦾ ⦾ ⦾ ⦾		⦾ ⦾ ⦾ ⦾ ⦾
☐ Jeudi	min	⦾ ⦾ ⦾ ⦾ ⦾		⦾ ⦾ ⦾ ⦾ ⦾
☐ Vendredi	min	⦾ ⦾ ⦾ ⦾ ⦾		⦾ ⦾ ⦾ ⦾ ⦾
☐ Samedi	min	⦾ ⦾ ⦾ ⦾ ⦾		⦾ ⦾ ⦾ ⦾ ⦾
☐ Dimanche	min	⦾ ⦾ ⦾ ⦾ ⦾		⦾ ⦾ ⦾ ⦾ ⦾

Mes progrès, mes sources d'étonnement, de joie :

....
....
....
....
....

Mon objectif de la semaine :

....
....
....
....
....

Les techniques à utiliser :

- ☐ Méditation Vipassana
- ☐ Méditation « observer ses pensées »
- ☐ Marche méditative
- ☐ Marche dansée méditative
- ☐ Scan corporel
- ☐ Autre : ....

L'astuce de la semaine :

Maintenant que vous êtes familiarisé avec les techniques de base, vous pouvez inclure le scan corporel dans votre pratique. Cette technique, très relaxante, permet d'apaiser les tensions du corps et se révèle particulièrement efficace pour se libérer des remous du mental.

MÉDITATION

Perle de sagesse

« Le calme, la quiétude, sont choses qui dépendent plus des dispositions intérieures de l'esprit que des circonstances extérieures et l'on peut les goûter même au milieu d'une apparente agitation. » (Alexandra David-Neel.)

Grille de suivi hebdomadaire :

Jours de pratique	Durée de la séance	Mon vécu au début de la méditation	Impression générale de la séance	Mon vécu à l'issue de la méditation
❑ Lundi	min	⚪ ⚪ ⚪ ⚪ ⚪		⚪ ⚪ ⚪ ⚪ ⚪
❑ Mardi	min	⚪ ⚪ ⚪ ⚪ ⚪		⚪ ⚪ ⚪ ⚪ ⚪
❑ Mercredi	min	⚪ ⚪ ⚪ ⚪ ⚪		⚪ ⚪ ⚪ ⚪ ⚪
❑ Jeudi	min	⚪ ⚪ ⚪ ⚪ ⚪		⚪ ⚪ ⚪ ⚪ ⚪
❑ Vendredi	min	⚪ ⚪ ⚪ ⚪ ⚪		⚪ ⚪ ⚪ ⚪ ⚪
❑ Samedi	min	⚪ ⚪ ⚪ ⚪ ⚪		⚪ ⚪ ⚪ ⚪ ⚪
❑ Dimanche	min	⚪ ⚪ ⚪ ⚪ ⚪		⚪ ⚪ ⚪ ⚪ ⚪

Identifiez ici les obstacles que vous avez rencontrés dans votre pratique et si besoin, revenez sur la phase de préparation afin d'ajuster certains éléments :

....

....

....

Mon objectif de la semaine :

....
....
....
....
....

Les techniques à utiliser :

- ☐ Méditation Vipassana
- ☐ Méditation « observer ses pensées »
- ☐ Marche méditative
- ☐ Marche dansée méditative
- ☐ Scan corporel
- ☐ Autre :..

L'astuce de la semaine :

Si vous avez opté pour une méditation immobile, faites l'expérience d'une méditation active et inversement. En avançant dans la pratique, vous pouvez ressentir le besoin d'adapter le type de méditation que vous pratiquez à votre état. Équilibrer trop de yin avec une méditation active, trop de yang avec une méditation immobile, devient possible quand nous sommes familiers de la pratique.

Quelles sont les personnes de votre entourage qui vous soutiennent dans votre démarche ?

....
....
....
....
....
....

MÉDITATION

....

Perle de sagesse

« En réalité, le principe réside dans l'énergie et l'énergie n'est rien d'autre que principe ; l'énergie réside dans le vide et le vide n'est rien d'autre qu'énergie : tout n'est qu'un, il n'y a pas de dualité. » (Wang Fuzhi.)

....

Grille de suivi hebdomadaire :

Jours de pratique	Durée de la séance	Mon vécu au début de la méditation	Impression générale de la séance	Mon vécu à l'issue de la méditation
❏ Lundi	min	✿ ✿ ✿ ✿ ✿		✿ ✿ ✿ ✿ ✿
❏ Mardi	min	✿ ✿ ✿ ✿ ✿		✿ ✿ ✿ ✿ ✿
❏ Mercredi	min	✿ ✿ ✿ ✿ ✿		✿ ✿ ✿ ✿ ✿
❏ Jeudi	min	✿ ✿ ✿ ✿ ✿		✿ ✿ ✿ ✿ ✿
❏ Vendredi	min	✿ ✿ ✿ ✿ ✿		✿ ✿ ✿ ✿ ✿
❏ Samedi	min	✿ ✿ ✿ ✿ ✿		✿ ✿ ✿ ✿ ✿
❏ Dimanche	min	✿ ✿ ✿ ✿ ✿		✿ ✿ ✿ ✿ ✿

Mes progrès, mes sources d'étonnement, de joie :

....
....
....
....
....

Mon objectif de la semaine :

....

....

....

....

....

Les techniques à utiliser :

- ☐ Méditation Vipassana
- ☐ Méditation « observer ses pensées »
- ☐ Marche méditative
- ☐ Marche dansée méditative
- ☐ Scan corporel
- ☐ Méditation à la bougie
- ☐ Autre :..

L'astuce de la semaine :

Même si vous ne méditez pas tous les jours, prenez quelques minutes les jours où vous ne pratiquez pas pour vous connecter à vous-même. Commencez à entrer dans la pleine conscience de manière informelle. La pleine conscience n'est pas à proprement parler une technique, mais un état d'être empreint de douceur et de tranquillité vis-à-vis de la vie, de soi... Laissez-vous être tout simplement, en étant ouvert à l'expérience. Vous découvrirez la réalité de ce que vous êtes dans cette pure observation.

MÉDITATION

Perle de sagesse

« Le commencement de toutes les sciences, c'est l'étonnement de ce que les choses sont ce qu'elles sont. » (Aristote.)

Grille de suivi hebdomadaire :

Jours de pratique	Durée de la séance	Mon vécu au début de la méditation	Impression générale de la séance	Mon vécu à l'issue de la méditation
☐ Lundi	min	⦿ ⦿ ⦿ ⦿ ⦿		⦿ ⦿ ⦿ ⦿ ⦿
☐ Mardi	min	⦿ ⦿ ⦿ ⦿ ⦿		⦿ ⦿ ⦿ ⦿ ⦿
☐ Mercredi	min	⦿ ⦿ ⦿ ⦿ ⦿		⦿ ⦿ ⦿ ⦿ ⦿
☐ Jeudi	min	⦿ ⦿ ⦿ ⦿ ⦿		⦿ ⦿ ⦿ ⦿ ⦿
☐ Vendredi	min	⦿ ⦿ ⦿ ⦿ ⦿		⦿ ⦿ ⦿ ⦿ ⦿
☐ Samedi	min	⦿ ⦿ ⦿ ⦿ ⦿		⦿ ⦿ ⦿ ⦿ ⦿
☐ Dimanche	min	⦿ ⦿ ⦿ ⦿ ⦿		⦿ ⦿ ⦿ ⦿ ⦿

Quels sont les petits changements positifs que vous avez observés en vous et dans votre vie depuis que vous avez commencé votre parcours de méditant ?

....
....
....

Mon objectif de la semaine :

....
....
....
....
....

Les techniques à utiliser :

- ☐ Méditation Vipassana
- ☐ Méditation « observer ses pensées »
- ☐ Marche méditative
- ☐ Marche dansée méditative
- ☐ Scan corporel
- ☐ Méditation à la bougie
- ☐ Autre : ....

L'astuce de la semaine :

Avant chaque séance, prenez 2 ou 3 minutes pour contempler vos deux créacollages (état présent, état désiré). Ensuite, commencez votre séance comme à l'habitude.

Quels sont les obstacles à une pratique régulière que vous avez rencontrés depuis le début de votre pratique ? Prenez le temps de réfléchir aux réponses que vous avez apportées à ces obstacles. Comment pourriez-vous améliorer votre capacité à ne pas vous laisser dérouter ?

....
....
....
....
....
....
....
....
....
....

Grille de suivi hebdomadaire :

Jours de pratique	Durée de la séance	Mon vécu au début de la méditation	Impression générale de la séance	Mon vécu à l'issue de la méditation
❏ Lundi	min	⚪ ⚪ ⚪ ⚪ ⚪		⚪ ⚪ ⚪ ⚪ ⚪
❏ Mardi	min	⚪ ⚪ ⚪ ⚪ ⚪		⚪ ⚪ ⚪ ⚪ ⚪
❏ Mercredi	min	⚪ ⚪ ⚪ ⚪ ⚪		⚪ ⚪ ⚪ ⚪ ⚪
❏ Jeudi	min	⚪ ⚪ ⚪ ⚪ ⚪		⚪ ⚪ ⚪ ⚪ ⚪
❏ Vendredi	min	⚪ ⚪ ⚪ ⚪ ⚪		⚪ ⚪ ⚪ ⚪ ⚪
❏ Samedi	min	⚪ ⚪ ⚪ ⚪ ⚪		⚪ ⚪ ⚪ ⚪ ⚪
❏ Dimanche	min	⚪ ⚪ ⚪ ⚪ ⚪		⚪ ⚪ ⚪ ⚪ ⚪

MÉDITATION

Perle de sagesse

« La vie est un mystère qu'il faut vivre, et non un problème à résoudre. » (Gandhi.)

Mon objectif de la semaine :

....

....

....

....

....

Les techniques à utiliser :

- ☐ Méditation Vipassana
- ☐ Méditation « observer ses pensées »
- ☐ Marche méditative
- ☐ Marche dansée méditative
- ☐ Scan corporel
- ☐ Méditation à la bougie
- ☐ Méditation de l'amour bienveillant
- ☐ Autre :...

L'astuce de la semaine :

Pour renforcer votre attitude de bienveillance et de gratitude vis-à-vis de la vie, des autres et de vous-même, commencez par vous-même. Tous les matins de cette semaine, établissez un petit rituel consistant à citer une qualité d'être que vous vous reconnaissez. Tous les soirs, avant de vous coucher, considérez avec gratitude une chose (même insignifiante) que vous avez réalisée dans la journée et qui vous a rendu heureux. Endormez-vous sur cette pensée.

Listez les personnes que vous aimez évoquer lors de votre méditation de l'amour bienveillant. Y en a-t-il d'autres que vous avez tendance à oublier ? Ajoutez-les sur la liste pour élargir le cercle de votre capacité de bienveillance.

....

....

....

Grille de suivi hebdomadaire :

Jours de pratique	Durée de la séance	Mon vécu au début de la méditation	Impression générale de la séance	Mon vécu à l'issue de la méditation
❏ Lundi	min	◍ ◍ ◍ ◍ ◍		◍ ◍ ◍ ◍ ◍
❏ Mardi	min	◍ ◍ ◍ ◍ ◍		◍ ◍ ◍ ◍ ◍
❏ Mercredi	min	◍ ◍ ◍ ◍ ◍		◍ ◍ ◍ ◍ ◍
❏ Jeudi	min	◍ ◍ ◍ ◍ ◍		◍ ◍ ◍ ◍ ◍
❏ Vendredi	min	◍ ◍ ◍ ◍ ◍		◍ ◍ ◍ ◍ ◍
❏ Samedi	min	◍ ◍ ◍ ◍ ◍		◍ ◍ ◍ ◍ ◍
❏ Dimanche	min	◍ ◍ ◍ ◍ ◍		◍ ◍ ◍ ◍ ◍

MÉDITATION

Perle de sagesse

« La gratitude va de pair avec l'humilité comme la santé avec l'équilibre. » (Elizabeth Goudge, *L'Arche dans la tempête*.)

SEMAINE 10

Mon objectif de la semaine :

....

....

....

....

....

Les techniques à utiliser :

- ❑ Méditation Vipassana
- ❑ Méditation « observer ses pensées »
- ❑ Marche méditative
- ❑ Marche dansée méditative
- ❑ Scan corporel
- ❑ Méditation à la bougie
- ❑ Méditation de l'amour bienveillant
- ❑ Autre :...

L'astuce de la semaine :

Commencez à augmenter la durée de vos séances. Vous pouvez essayer une séance sur deux si vous craignez que cela devienne trop lourd pour votre emploi du temps. Une fois que vous avez augmenté la durée d'une séance, ne la diminuez plus, sauf cas très exceptionnel.

MÉDITATION

Perle de sagesse

« Commencez par changer en vous ce que vous voulez changer autour de vous. » (Gandhi.)

Grille de suivi hebdomadaire :

Jours de pratique	Durée de la séance	Mon vécu au début de la méditation	Impression générale de la séance	Mon vécu à l'issue de la méditation
☐ Lundi	min	◉ ◉ ◉ ◉ ◉		◉ ◉ ◉ ◉ ◉
☐ Mardi	min	◉ ◉ ◉ ◉ ◉		◉ ◉ ◉ ◉ ◉
☐ Mercredi	min	◉ ◉ ◉ ◉ ◉		◉ ◉ ◉ ◉ ◉
☐ Jeudi	min	◉ ◉ ◉ ◉ ◉		◉ ◉ ◉ ◉ ◉
☐ Vendredi	min	◉ ◉ ◉ ◉ ◉		◉ ◉ ◉ ◉ ◉
☐ Samedi	min	◉ ◉ ◉ ◉ ◉		◉ ◉ ◉ ◉ ◉
☐ Dimanche	min	◉ ◉ ◉ ◉ ◉		◉ ◉ ◉ ◉ ◉

Avez-vous découvert de nouvelles sources de motivation depuis le début de votre pratique ? Listez-les afin de bien les intégrer.

....
....
....
....

Mon objectif de la semaine :

....

....

....

....

....

Les techniques à utiliser :

- ☐ Méditation Vipassana
- ☐ Méditation « observer ses pensées »
- ☐ Marche méditative
- ☐ Marche dansée méditative
- ☐ Scan corporel
- ☐ Méditation à la bougie
- ☐ Méditation de l'amour bienveillant
- ☐ Méditation en mangeant

L'astuce de la semaine :

Transformez une ou deux actions de votre quotidien en moment de pleine conscience. Vous pouvez par exemple méditer sous la douche ou bien en mangeant...

MÉDITATION

Perle de sagesse

« Rappelez-vous toujours celui qui est à l'intérieur du corps. En marchant, en étant assis, en mangeant, en faisant quoi que ce soit, rappelez-vous celui qui ne marche pas, n'est pas assis, ne mange pas. Tout le faire appartient à la surface. Au-delà du faire est l'Être. Aussi, soyez conscient de "celui qui ne fait pas" lorsque vous faites quelque chose, de "celui qui ne bouge pas" lorsque vous bougez. » (Osho, *A Cup of Tea*.)

Grille de suivi hebdomadaire :

Jours de pratique	Durée de la séance	Mon vécu au début de la méditation	Impression générale de la séance	Mon vécu à l'issue de la méditation
❑ Lundi	min	⚫ ⚫ ⚫ ⚫ ⚫		⚫ ⚫ ⚫ ⚫ ⚫
❑ Mardi	min	⚫ ⚫ ⚫ ⚫ ⚫		⚫ ⚫ ⚫ ⚫ ⚫
❑ Mercredi	min	⚫ ⚫ ⚫ ⚫ ⚫		⚫ ⚫ ⚫ ⚫ ⚫
❑ Jeudi	min	⚫ ⚫ ⚫ ⚫ ⚫		⚫ ⚫ ⚫ ⚫ ⚫
❑ Vendredi	min	⚫ ⚫ ⚫ ⚫ ⚫		⚫ ⚫ ⚫ ⚫ ⚫
❑ Samedi	min	⚫ ⚫ ⚫ ⚫ ⚫		⚫ ⚫ ⚫ ⚫ ⚫
❑ Dimanche	min	⚫ ⚫ ⚫ ⚫ ⚫		⚫ ⚫ ⚫ ⚫ ⚫

Avez-vous expérimenté des moments de pleine conscience dans votre quotidien depuis le début de votre parcours de méditant ? Listez-les.

....

....

....

....

Mon objectif de la semaine :

....
....
....
....
....

Les techniques à utiliser :

- ❒ Méditation Vipassana
- ❒ Méditation « observer ses pensées »
- ❒ Marche méditative
- ❒ Marche dansée méditative
- ❒ Scan corporel
- ❒ Méditation à la bougie
- ❒ Méditation de l'amour bienveillant
- ❒ Méditation en mangeant

L'astuce de la semaine :

Ne cherchez plus à résister à ce qui vous éloigne de la méditation. Ne combattez plus, mais agissez en méditant. Intégrez à partir de maintenant que la méditation est le pendant de l'action. Que votre vie n'est « pleine » que si cette balance trouve son équilibre dans votre vécu au quotidien. Agir et non-agir paraissent contradictoires mais sont en réalité complémentaires.

Agir et méditer sont les deux faces d'un même principe. Si vous avez intégré ce principe, votre vie va devenir unifiée.

Quelles sont les dix choses que vous faites chaque jour et qui ont de la valeur pour vous ?
Faites une liste par ordre d'importance. La méditation y figure-t-elle ? Quel est son rang ?

1. ....
2. ....
3. ....
4. ....
5. ....
6. ....
7. ....
8. ....
9. ....
10. ....

Grille de suivi hebdomadaire :

Jours de pratique	Durée de la séance	Mon vécu au début de la méditation	Impression générale de la séance	Mon vécu à l'issue de la méditation
❐ Lundi	min	◉ ◉ ◉ ◉ ◉		◉ ◉ ◉ ◉ ◉
❐ Mardi	min	◉ ◉ ◉ ◉ ◉		◉ ◉ ◉ ◉ ◉
❐ Mercredi	min	◉ ◉ ◉ ◉ ◉		◉ ◉ ◉ ◉ ◉
❐ Jeudi	min	◉ ◉ ◉ ◉ ◉		◉ ◉ ◉ ◉ ◉
❐ Vendredi	min	◉ ◉ ◉ ◉ ◉		◉ ◉ ◉ ◉ ◉
❐ Samedi	min	◉ ◉ ◉ ◉ ◉		◉ ◉ ◉ ◉ ◉
❐ Dimanche	min	◉ ◉ ◉ ◉ ◉		◉ ◉ ◉ ◉ ◉

MÉDITATION

Perle de sagesse

« En nous établissant dans l'instant présent, nous pouvons voir toutes les beautés et les merveilles qui nous entourent. Nous pouvons être heureux simplement en étant conscients de ce qui est sous nos yeux. » (Tich Nhat Hanh.)

Et maintenant, où en êtes-vous ?

Il est temps de faire un point d'étape pour savoir où vous en êtes ici et maintenant, après ces trois premiers mois de votre parcours méditatif.

La méditation est-elle devenue une nouvelle manière d'être au monde pour vous ? Parvenu à ce stade, vous avez sans doute expérimenté votre propre manière de méditer. Et c'est très bien ainsi. Ce parcours du méditant n'a d'autre mission que celle de vous soutenir activement dans vos débuts.

Vous avez fait le plus gros du chemin : vous avez installé une discipline dans votre vie. Il importe maintenant de la vivre au quotidien. Pour reprendre une métaphore qu'utilise un grand maître indien de la méditation, rappelez-vous que l'eau qui a été chauffée, quand elle ne l'est plus, refroidit. On peut toujours la réchauffer. Mais pour qu'elle devienne de la vapeur, il faut maintenir la flamme suffisamment longtemps et suffisamment vive. Alors, on peut parler de transformation... Si vous suivez la discipline que vous avez mise en place durant ces premiers mois, vous maintiendrez la flamme.

D'où êtes-vous parti et où en êtes-vous aujourd'hui ?

Que cherchiez-vous en commençant votre pratique ?

....
....
....
....
....
....
....
....
....
....
....
....
....

À la question « à quoi saurez-vous que vous avez bien fait d'entreprendre la méditation ? », quel était votre critère personnel de réponse ?

....
....
....
....

....
....
....
....
....
....
....
....
....
....
....
....

Sur une échelle de 1 à 5, êtes-vous heureux d'être parvenu là où vous en êtes, ici et maintenant ?

1 > 2 > 3 > 4 > 5

Écrivez ici cinq bénéfices que vous tirez d'ores et déjà de votre pratique :

1. ....
   ....
   ....
   ....
   ....

2. ....
   ....
   ....
   ....
   ....

3. ....
   ....
   ....
   ....
   ....

4. ....
   ....
   ....
   ....
   ....

5. ....
   ....
   ....
   ....
   ....

Quel chemin souhaitez-vous encore parcourir ?

Selon le même principe que les créacollages expliqués p. 24-25, réalisez votre créacollage « Quel chemin s'ouvre devant moi ? ».

Une fois acquise, la méditation ne s'oublie jamais

Si vous êtes parvenu au stade où votre pratique est stabilisée, voire établie, vous saurez reprendre vos habitudes de méditant quoi qu'il arrive dans votre vie, car elles sont suffisamment ancrées pour être retrouvées facilement. Comme la marche, la méditation ne s'oublie jamais.

S'accorder des périodes de creux

On ne vit pas pour méditer, mais on médite pour vivre. Que votre joie et votre fraîcheur face à la méditation demeurent la meilleure boussole pour poursuivre votre route. Si d'aventure, elles vous faisaient défaut, soyez bienveillant envers vous-même et jetez l'ancre... pour mieux repartir ensuite.

Se donner de l'espace pour continuer

Vous voici arrivé à un certain degré d'autonomie par rapport à notre démarche de coaching. Vous avez maintenant les capacités pour prendre en main votre vie de méditant, gérer les périodes de creux et surfer sur les phases où la méditation sera comme une évidence dans votre vie.

Rappelez-vous un grand principe, celui que tout passe... et qu'une seule chose restera : l'immense espace intérieur que vous avez commencé à défricher en méditant. Il ne tient qu'à vous d'en faire un espace de liberté et d'accomplissement. Le dehors fait le dedans et le dedans fait le dehors. Donnez de la valeur à votre expérience, ne laissez personne vous dérouter, ni autrui ni vous-même, et chaque séance sera l'occasion d'un petit pas supplémentaire dans votre monde intérieur où se côtoient sérénité, bienveillance et compassion. Gardez en conscience la route pour cet univers : elle passe par la méditation.

La route du méditant est aussi longue que notre route d'humain ! Peu importe la destination, c'est le cheminement qui vous accomplira. Et surtout, n'oubliez jamais que si cette route nous mène au centre de nous-mêmes, elle nous conduit aussi sûrement aux autres. Car dès lors que nous vivons la bienveillance, cette dernière irradie tout autour de nous.

Encore un petit mot avant de nous quitter

Vous voici sur votre route. Jusqu'à présent, c'était comme si vous aviez toujours pris le train pour voyager. À travers la vitre, le paysage défilait à toute vitesse. Vous n'en perceviez que des bribes informes, sans cesse remplacées par d'autres bribes informes.

Vous avez choisi de ralentir le train. Le paysage devient plus vaste, plus riche. Vous commencez à percevoir de nombreux détails qui vous avaient échappés. Par la fenêtre désormais entrouverte, l'atmosphère extérieure vous parvient. Vous entrez en contact avec l'air et prenez conscience de respirer.

Et finalement, vous osez descendre du train pour aller enfin à votre rythme, devenir le conducteur de votre destin. Vous êtes maintenant en lien avec le monde, avec ce que vous ressentez du voyage. Vous êtes libre de remonter dans le train, si l'envie ou la nécessité advient. Et libre d'en redescendre quand vous souhaiterez une escale. Bienvenue dans le monde de la méditation.

Direction : Catherine Saunier-Talec

Responsable éditoriale : Tatiana Delesalle-Féat

Édition : Marion Turminel

Adaptation de la maquette et suivi éditorial : Nelly Mégret

Lecture-correction : Claire Fontanieu

Responsable artistique : Antoine Béon

Conception graphique et couverture : Le Bureau des Affaires Graphiques

Fabrication : Amélie Latsch

L'éditeur remercie Iris Dion pour son aide précieuse et efficace.

Crédits photographiques

© Agence Fotolia : p. 4, Yuri Arcurs ; p. 10, Yuri Arcurs ; p. 20, nyul ; p. 30, Rido ;
p. 40, Jenner ; p. 45, Robert Kneschke ; p. 50, Dirima ; p. 58, Peter Atkins ;
p. 63, malyugin ; p. 64, Yuri Arcurs ; p. 94, mr.markin.
Photographie de couverture : © Shutterstock/Marcstock

Imprimé par Castelli Bolis Poligrafic en Italie
Dépôt légal : août 2013
23-12-28-01-8
ISBN : 978-2-01-231228-9